# 最新卡通漫画技法⑤

## Q 版人物篇

译：丁 莲

中国青年出版社

# 前言—Q 版人物好有趣！

大家如果听到"变形人物"这个词的话，通常会联想到什么样的东西呢？搞笑漫画里面的人物？企业的吉祥物？游戏等衍生漫画里面的角色？我想大家的脑海中应该都会浮现出很多的答案才对。

不过，有一点可能会出乎大家的意料。那就是在日本所贩卖的漫画的９９％以上都是属于"变形人物"画风的。虽然没有什么明文规定，但是漫画人物原本就是通过将人类自身进行了夸张表现才形成的。如果是其他国家人士来看的话，就算说日本的漫画１００％是"变形人物"，我们也无法进行否定。

从现实的角度来说，像少女漫画的主人公一般眼睛大成那样，而且还有星星闪烁的人也是不可能存在的（苦笑）。

而本书虽然讲述的是"变形人物"，当然也不可能将全日本的漫画都包含在内。所以我们下面将要介绍的，就是即使在"变形人物"中也需要更进一步变形技术的"超级变形人物"，也就是通称的"Q 版人物"。

不过单纯的一句"Q 版人物"，可能还是无法让大家判断到底是什么样的东西。简略来说，本书所要描述的是使用了普通人类２—４头身，通过夸张表现出来的缩水人物。

这种"Q 版人物"虽然看起来和普通人有很大区别，但是却可以运用在各种各样的地方，非常便利。漫画和动画自然不必说，也可以运用到ＣＭ 角色、吉祥物等等，它的使用途径可以说是无限大。就连在普通生活中写信或者描绘家人面孔的时候也少不了它的存在。所以请各位好好掌握之后，再去充分寻找出它有趣的使用方法吧。

# 第1章　Q版人物是什么？

# 第2章　Q版人物的基础是脸孔和身体

# 第3章　Q版人物的转化

# 第4章　Q版人物的演绎

封面插图……佐藤元
正文插图……佐藤元
　　　　　　小笠原朝美
机械插图协助……日野贯大（日本工学院）
编辑……增岛国义（Graphic社）
设计……大久保昌子

# 第 1 章
# Q版人物是什么？

# 这就是 Q 版人物！

**女性**

## 头发·眼睛（瞳孔）

人类的身体中最容易变形的部分就是头发。只要头盖骨的位置没有问题的话，不管存在什么样的发型也不会让人觉得奇怪。所以在变形的时候，它就成为了确定整体轮廓的一个非常重要的部分。同样的，眼睛（瞳孔）也因为能表现出个性而被看作很重要的部分。

**胸** 因为胸部是母性的象征，所以经常用来表现和男性的差别。不过在描绘 Q 版人物的时候，这个差别并不是绝对要存在的，所以胸部反而大多是用在表现个性的场合。如果认为女性人物必须画出胸部的话，那么不但可能永远也无法表现出个性，而且还有可能涉及性骚扰的问题（苦笑）。因此一定要加以注意。

**腰** 腰也和胸一样，经常用在表现性别的时候。不过在变形的时候，那些拥有三角体形的男性和一部分拥有好像运动选手一样的倒三角体形的女性倒并不仅仅是为了表现性别，反而可以说更主要的是通过和其他部分的对比来表现性别上的不同。

**腿** 腿的变形非常困难。在变形人物中包括了"棍子腿"、"前端肥大腿"和"葫芦腿"等多个方面。而且由于是女性人物，所以因为裙子等衣服的关系，腿部露出的概率要大大高于男性人物。因此在表现腿的时候要特别计算好和其他部位的比例，多加注意。

**头** 描绘 Q 版人物的时候，大多会将头部画得比较大。不过这始终只是一种手段，看过后面的内容后大家应该也能明白，并不是脑袋大的人物就是 Q 版人物或变形人物。简单来说的话，就是有的人物即使脑袋小，也能作为个性化的 Q 版人物而存在。

**手・胳膊** 如同上一页的腿一样，手或者胳膊的表现也包括了多个方面。当然基本上来说，手和腿如果采用同样的变形手法，整体看起来会比较舒服。不过在描绘一部分体育选手以及感情表现的时候，如果采用不平衡的手法，反而更能传达出作者的意图。

**腰** 其实在画 Q 版人物的时候，腰这个部分是最容易被省略的部位。但与此同时，人物进行某种行为的时候，最先活动到的部分也是这里。所以也许该说不是单纯的省略，而是保留了"最低限度的必要部分"的省略才比较正确。

**脚** 和女性一样，男性在腿脚的表现上也包括多个方面。不过希望大家能记住某个颇为不可思议的规律，那就是比起小的脚来，从心理表现的角度来说，大的脚看起来更加有男人味道。当然了，也请大家不要忘记，脚小的男人也是一样有个性的。

那么接下来我们要看的就是"省略"了的人类的身体，只有在漫画和艺术设计中才会存在的世界。不过话说回来，其实漫画世界本身就是个"省略"的世界。无论是眼睛还是手脚，漫画人物的表现手法都是实际人类没有，也不可能有的。特别是在眼睛方面，我还没有见过在漫画的世界写实性地描绘了人类眼睛的作家（笑）。所以我想看漫画的人就不用说了，曾经临摹过漫画或者画过漫画的人也都应该很简单就能理解。因此在这里就请进一步加深对于变形的乐趣和快乐的了解，充分将它们引导进你的生活和工作中吧。

# "Q版人物画"和"写实画"的差别

在这里我想写的是关于Q版人物画和写实画的差别，不过这里所说的写实画当然不是好像照片一样超写实的画风，或者是连环画漫画一样的画风，而是非常普通的少年少女漫画中所使用的那些类型。

直接一点来说的话差别就是在个子上，但是如果要说是否只要缩短个子或是省略身体部分就能完成Q版人物的话，答案无疑是否定的。接下来我们就要从身体的各个部分以及比例等多个角度来验证这一点。

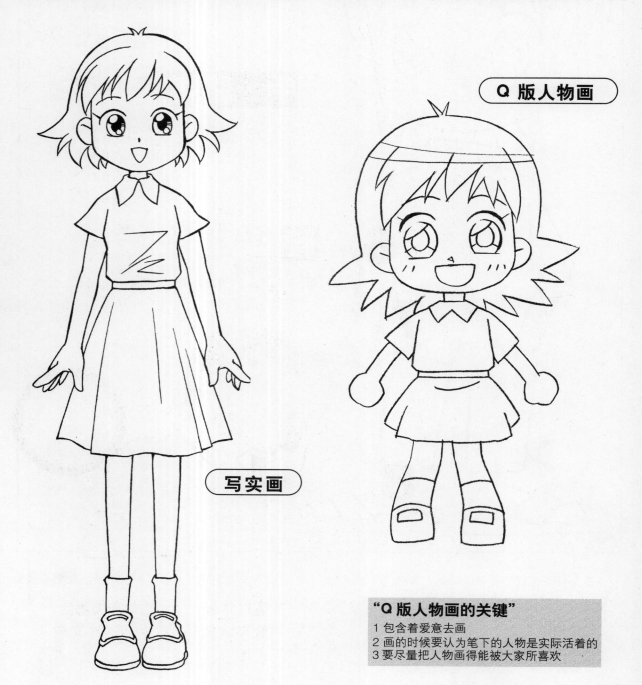

Q版人物画

写实画

"Q版人物画的关键"
1 包含着爱意去画
2 画的时候要认为笔下的人物是实际活着的
3 要尽量把人物画得能被大家所喜欢

## 表现剧情的时候用 4 头身比较自然

　　要让变形后的人物表现实际活动的状态，其实大多时候往往很难摆姿势，像这种时候应该怎么做才好呢？其实在这种情况下，最好的手法就是暂时性地提高人物的头身。这样一来各个部分的关节就会比较容易活动，也可以摆出各种各样的姿势。详细的情况已经写在别的章节里，请务必进行参考。

通过将角色大胆的 Q 版人物化，就可以成为拥有平衡感的 Q 版人物

# 找出模特的特征

## 从五官中找出特征

　　每个人多少都会存在特征。Q版人物 / 变形人物就是通过找出这个部分，强调这些特征来表现个性的。当然，有模特在的时候就是找出特征来，而

　　在有模特的时候，因为从不同人的角度出发，从那个模特的特征中感受到的印象也会不同，所以这种时候只要将个人感受最深最大的特征夸张出来就可以了。一个人的画能够最强地表现出画手的精神印象，所以比起从周围听来的情报和他人的意见来，更要重视自己所感觉到的印象。因为作为笔下人物的生身父母，你必须最清楚它们的可爱个性才可以。

　　没有模特的时候，就是要在头脑中创造出凭空想象的人物，自己为它确定出特征。这样创造角色应该也会比较轻松。

**模特画**

"眼睛"可爱？

"鼻子"可爱？

"嘴巴"可爱？

## 各种眼睛的模式

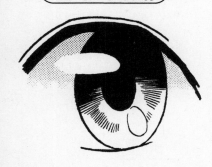

"眼睛（瞳孔）的高光效果"

这里有若干类加入了高光的眼睛，我想大家看了这些之后应该就可以明白它们所给人在印象上的差别。实际上眼睛会映射出直接光，间接光，反射光等等各种各样的光线，再加上原本眼帘的影子多少也会进入眼睛一些，所以画眼睛的时候其实需要非常复杂的对于光和影的描绘。当然了，下面那样没有高光的场合也是存在的，所以要知道光从什么方向进入会有什么样的印象的话，最重要的就是要根据实际创造出包括有高光和没有高光的情况在内的几十种类型来进行体会。

没有高光的眼睛

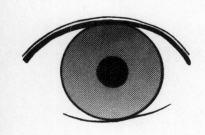

# 从体形中寻找特征

○○○

就算脸孔上没有特征，在体形上拥有特征的人应该也不在少数。如果强调这一点的话，就算脸孔的特征比较少，也可以通过和体形的配合更进一步地勾画出个性。

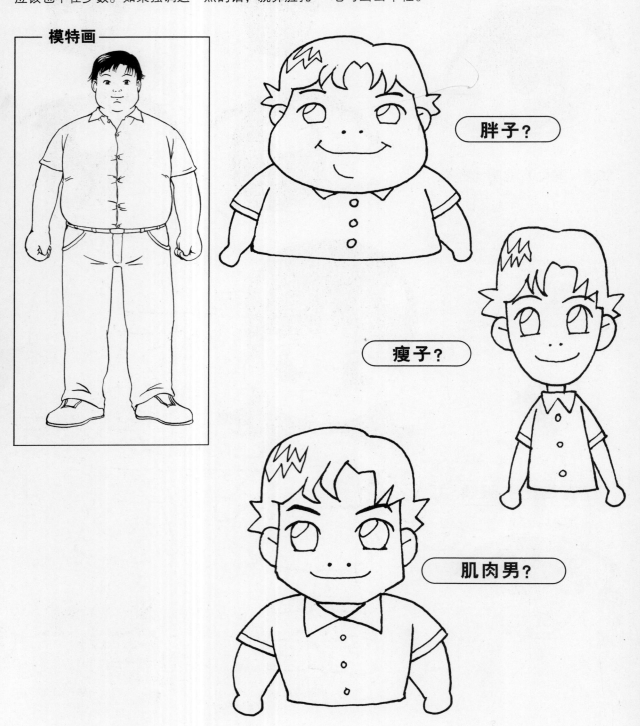

模特画

胖子?

瘦子?

肌肉男?

# 肥胖体形的模式

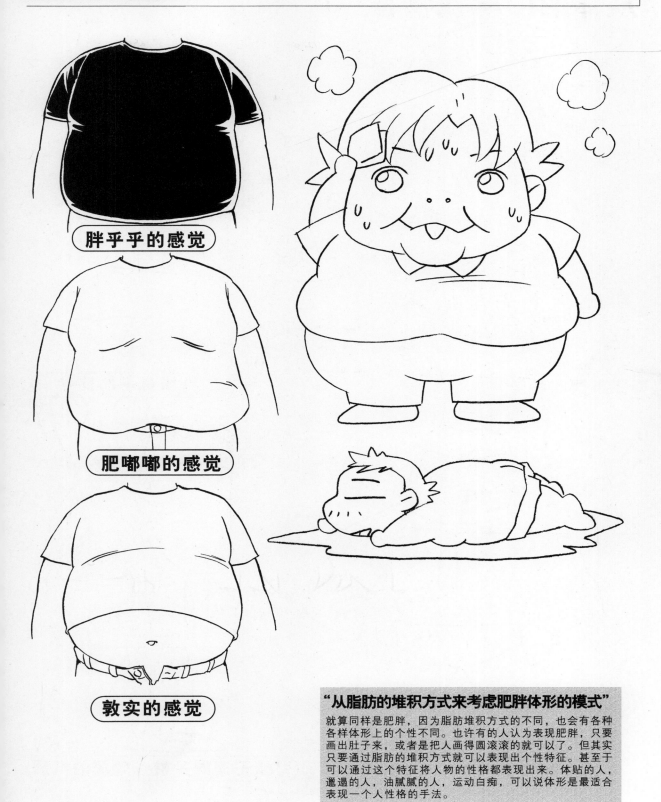

胖乎乎的感觉

肥嘟嘟的感觉

敦实的感觉

**"从脂肪的堆积方式来考虑肥胖体形的模式"**

就算同样是肥胖，因为脂肪堆积方式的不同，也会有各种各样体形上的个性不同。也许有的人认为表现肥胖，只要画出肚子来，或者是把人画得圆滚滚的就可以了。但其实只要通过脂肪的堆积方式就可以表现出个性特征。甚至于可以通过这个特征将人物的性格都表现出来。体贴的人，邋遢的人，油腻腻的人，运动白痴，可以说体形是最适合表现一个人性格的手法。

## 重要的是抓住特征，有效地进行变形

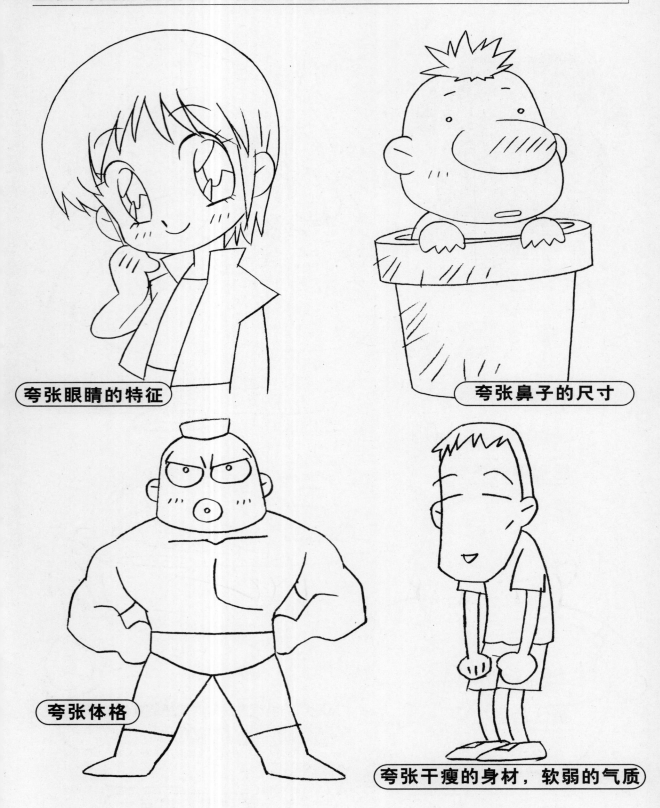

夸张眼睛的特征

夸张鼻子的尺寸

夸张体格

夸张干瘦的身材，软弱的气质

夸张开朗的感觉

夸张乖僻、顽固的印象

夸张体形（肥胖）

夸张嘴巴的巨大

# COLUMN
# Q 版人物的历史

漫画这种表现方式，据说是起源于名为《鸟兽戏画》的绘画。

那个画的内容是把鸟类和野兽进行了拟人化后让它们进行活动。我们如果去动物园，也会看到模仿人类行动的动物，以及某些举动和人类的动作很相似的动物。想必也会有不少人会把动物和人类重叠到一起，从中感觉到乐趣吧？也许鸟兽戏画的作者也是看了这些后才会那么画的。

在我看来，其实漫画也是这些的延长之一。想着"如果这样就好了"，"如果这样就太有趣了"，然后把人物重叠到这些想法上，于是就形成了现在的漫画。所以虽然少女漫画的人物眼睛中会有亮晶晶的星星，但是这样的人在实际中是不可能存在的。那只是因为人们从愿望的角度出发，认为"如果这样才比较美丽"，所以画面才被如此夸张表现而已。

但是理所当然的，夸张表现也是存在限度的。如果超出了某个范围的话，原本作为原型的东西就反而会模糊起来，无法比如说如果改变了四肢、上下、脑袋等部分的基本个数以及位置的话，那么即使作为漫画中的人物来说，好像也不太让人能认为是人了（当然这并不是有什么歧视的意思）。

我认为漫画的有趣之处，就是在于可以像这样

看作者在一定的范围内究竟能怎样进行夸张的表现。所以其实所谓的变形，是在漫画诞生的时候就已经存在的技法，不管是什么样的连环画，也都包含了变形这种技法。当然了，漫画的历史已经很久远，那么变形人物在设计上的流行，以及商品化的繁荣又是从什么时候开始的呢？

在我的记忆中，"变形"这个单词应该是在以前那个名为《宇宙战舰大和》的动画片流行之后开始渗透进生活的。那个时候所出版的《OUT》等等的杂志上，都刊登了很多的关于这个动画的衍生作品。

　我自己也是那时候经常画这些的人之一（苦笑）。在那之后，当衍生热潮一度收敛的时候，刚好由我负责人设的动画片中的变形人物被厂家所看中，于是日本首例变形人物的商品化企划也就从此展开了。

　那是比现在相当有名的SD系列还要更早几年的事情。而那些商品就被称为"Q机器"系列。我作为主要的设计师，除了将"Q机器·郭古""Q机器·卡里安"等等的机器人动画改造成更加夸张的商品以外，同时也用变形人物设计了同一赞助商的动画人物的扭蛋。

　当时注意到这些商品的畅销之后，另外的厂家就在"Q机器"诞生的数年后推出了"SD"系列的企划。当时我因为主要负责"Q机器"，所以没能参与SD的最初创建。不过那之后我还是参加到了"SD"的企划之中，创造了众多"高达"的变形设计。后来我也曾经负责同一厂家不同作品的变形人物设计，以及某些和动画、漫画没有关系的商品以及标志等的变形设计。总之就是直到现在还在从事着这方面的工作。

　多亏了这一段的历史，曾经一度遭受非难的衍生和变形作品才终于获得了市民权。并且在如今获得了各方面人士的瞩目。

　再然后就是我终于有机会出版了这样一本书。而这已经是我开始描绘变形人物后的第二十八个年头了。

# 创作中的感情投入

◎ ● ◎

也许有的人认为，反正都是要变形头身，去变形大人的头身不也挺好吗？虽然这么说也许不是太好，但是要把并不可爱的东西去变得可爱是很辛苦的？大家不觉得把原本可爱的东西变得更加可爱，不论对于读者还是对于作者来说都更加轻松愉快吗？

我想大家也许也都听说过，能够在人物中加入"感情投入"的作家的作品看起来才比较舒服。而如同大家常说漫画家就是笔下人物的生身父母一样，自己所创造的人物其实就是一种生物。喜爱和疼爱它们，这些人物才能散发出更进一步的光彩。

因此虽然这么说大家也许会觉得我有点奇怪，不过我在创造人物的时候永远都是保持着觉得它们"好可爱"、"好可爱"的心态的。正因为如此，比起已经成熟的"大人"来，要想进行感情投入的话，当然还是去感觉"小孩子"的可爱更加容易。

# 第 2 章
## Q 版人物的基础是脸孔和身体！

本书（P122）的『拼图脸』也要灵活运用哦！

19

# 重要的还是脸孔！

● ● ●

在创造人物的时候，"脸孔"占据了重要的位置。特别是在画"Q版人物"的时候，能够画出让人本能觉得可爱，想要去保护的脸孔是至关重要的。

简单来说，"Q版人物"可以说是某种会拥有众多会让人喜欢的要素的人物。因此，构成脸孔的各个部分的描绘方法就非常重要了。

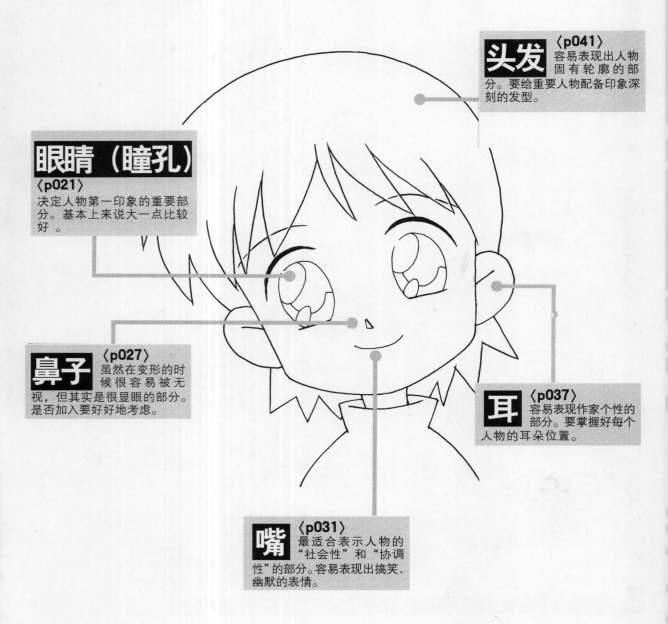

**头发** 〈p041〉
容易表现出人物固有轮廓的部分。要给重要人物配备印象深刻的发型。

**眼睛（瞳孔）**
〈p021〉
决定人物第一印象的重要部分。基本上来说大一点比较好。

**鼻子** 〈p027〉
虽然在变形的时候很容易被无视，但其实是很显眼的部分。是否加入要好好地考虑。

**耳** 〈p037〉
容易表现作家个性的部分。要掌握好每个人物的耳朵位置。

**嘴** 〈p031〉
最适合表示人物的"社会性"和"协调性"的部分。容易表现出搞笑、幽默的表情。

# 人物的生命在于眼睛（瞳孔）

●●●

如同日本人和西方人就有很大不同一样，每个人的眼睛里面都存在着非常丰富的个性特征。甚至于不少人认为，在识别一个人的脸孔的时候，只要有轮廓和眼睛就能大致区分出来不同的人了。现在就让我们来考虑一下，眼睛的特征有哪几种模式吧。

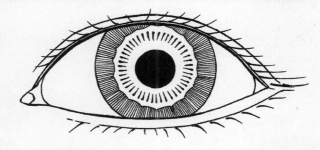

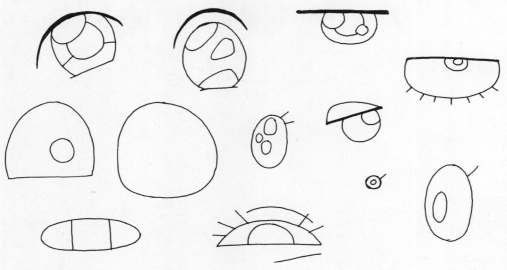

## 常见的漫画中眼睛的表现

## 瞳孔和眼白以外的部分也不要忘记

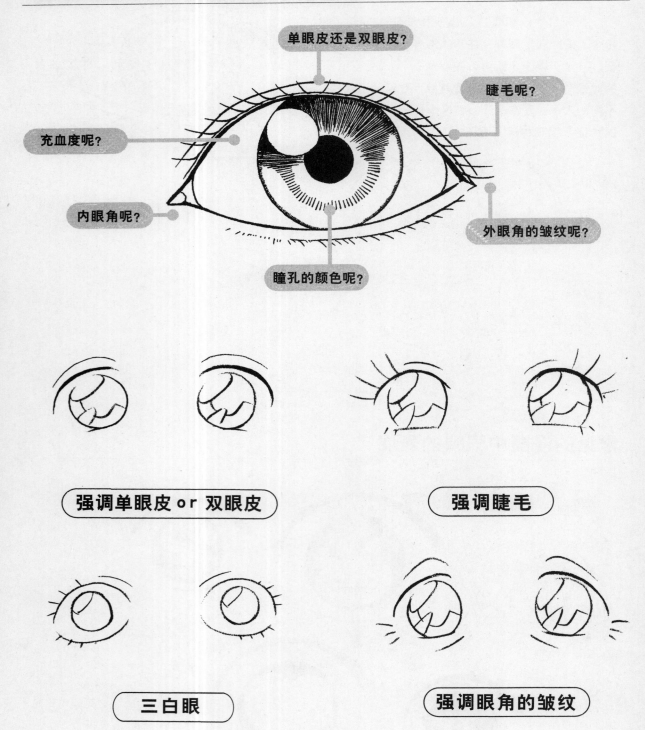

单眼皮还是双眼皮?

睫毛呢?

充血度呢?

内眼角呢?

外眼角的皱纹呢?

瞳孔的颜色呢?

强调单眼皮 or 双眼皮

强调睫毛

三白眼

强调眼角的皱纹

　　通过像这样特别夸张眼睛的各个部分，就可以表现出个性。通过夸张各种各样的部分而表达出感觉上的不同也是很有趣的事情哦。

# 描绘印象深刻的眼睛

让我们把前一页所出现的眼睛配合着脸孔的轮廓来看一下吧。我想这样大家就可以明白了，即使拥有同样的眼睛也可以完全成为另一个人。

这一点请大家一定要在作为附录而加入的"变形拼图脸"（P122）中体验一下。

变形：睫毛

变形：双眼皮

变形：眼睛的皱纹

23

# 让眼睛拥有感情

当你已经对于眼睛的基本表现有了一定了解的时候，接下来所必须要掌握的就要看用这个眼睛能表达出多少程度的感情了。怎样分解眼睛的各个部分，怎样进行变形，才能夸张出什么样的感情。对于这一点的理解非常重要。就让我们来分别对内眼角、外眼角、睫毛等等的部分进行夸张来加以理解吧。

表现笑着时的眼睛或者心情愉快时的眼睛，就可以通过让外眼角下垂而表现出温柔的感觉。而为了夸张外眼角下垂的状况而让内眼角也落下形成拱形可以说是变形中的基本常识，但是根据这个拱形角度、大小的不同，感情的状况多少也会有所变化，所以还是实际上去描画体会一下才是最好的。

在生气这一表现的场合，大多数时候变化的都不光是眼睛，而是由于眼周围肌肉的关系，连眉毛也一起产生变化。如果要说眼睛本身有什么变化的话，也就是受到眉毛肌肉的压迫，让眼皮上部的圆形有所变化而已。变形的时候就通过夸张眼帘上的小小变化来表现就可以了。在我看来，把一般人口中的"恐怖眼睛"当成是"愤怒"的感情表现也就可以了。

在表现悲伤或者哭泣的场合，其实也和愤怒一样，眼睛形状本身的变化很小。往往是通过消除眉毛的紧张感，让眉毛下垂，盖上或是接近眼皮而表现出来。虽然眼睛上没有什么直接的变化，但是毕竟是关系着精神打击的问题，所以眼睛本身还是表现出一些无力的感觉比较好。这也是能够让斜眼看人或者低垂眼帘等等无法直视对方的眼部动作表现出味道的方法。在其他部分我还会对眉毛进行说明,请配合在一起看作为参考。

喜·乐

怒

哀·悲

## 更多的感情表现

在眼睛的感情表现中，很多对于普通人类来说无法做到的事情，在变形的世界中也往往可以成为可能。比如说几乎要撑出了脸部轮廓的眼睛，好像瀑布一样大量的泪水，没有眼睛只剩下"×"的记号，好像无视肌肉存在一样的形状。就如同前面所说过的一样，这些也都是表现感情的时候，夸张表现眼睛，或者说脸孔一部分的微妙动作而造成的结果。

虽然人们常说现代是无感情的时代，但是人们在表露感情的时候，是怎么样去表现，是靠哪个部分去表现，这些都还是必须要靠自己去好好理解的。

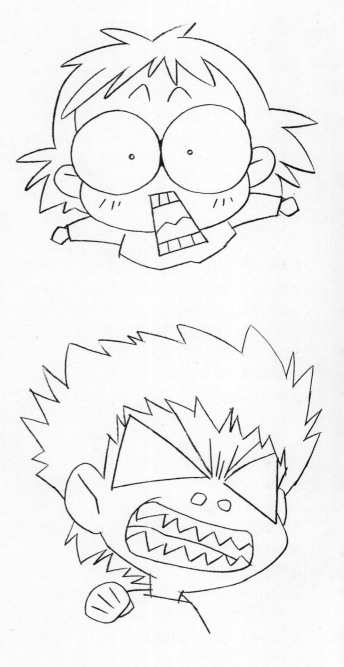

# ONE POINT
# 眉毛的感情表现可以胜过嘴巴！？

有一个很重要的部分希望大家可以理解，那就是眉毛并不只是"线"而已。

因为工作的关系，我经常能接触到学生以及新人漫画家的作品，结果我发现最近会用眉毛进行感情表现的人变得格外稀少。确实从变形的观点来说，在如今这个细眉流行的时代，不管是男是女都用线来表现眉毛也许反而比较有现实感。但是事实上这种无个性化的现象确实也给漫画文化带来了危机。流行是流行，个性是个性，希望大家能在年轻的时候牢记这一点，好好进行学习。

因为眉毛无关性别，而且是能进行非常丰富的个性变化的部分，所以在画Q版人物的时候，大家应该注意到，眉毛上的感情表现甚至是可以胜过嘴巴的。

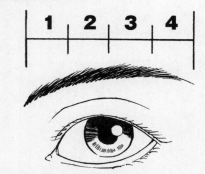

## 大移动

"温柔"　　　　　"更加温柔"

扩展眉毛和眼睛的间隔

"生气"　　　　　"更加生气"

"为难"　　　　　"更加为难"

让眉毛整体下垂，和眼睛凑到一起。这样就感觉是眉毛皱起来了。

## 各种各样的眉毛模式

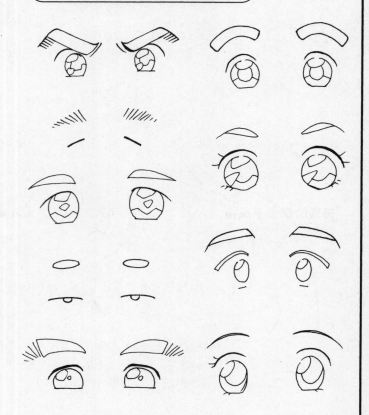

# 鼻子是引人注目的部分

## 从脸孔的部分寻找特征

虽然鼻子在变形的时候经常被无视，但是这其中也有在鼻子上拥有显著特征的人，所以如果不充分灵活运用这个特征的话，就白白浪费了难得的变形。鼻子的变形是很容易表现职业（手冢老师风格的刑警或是学生、侦探等等）、温柔形象以及怪异感觉的部分。画好它的话就比较容易表现出人物的形象。

### 给人好感的鼻子

圆圆的大鼻子会带给人温和的印象。

### 惹人讨厌的鼻子

有很大角度的鼻子会带给读者神秘性或是恐怖感。

---

### 容易用鼻子表现的体育活动

**普通的拳击手风格**
大鼻子给人感觉是经常被打 = 普通，或者说擅长防守的拳击手。

**天才拳击手风格**
小的鼻子感觉上是脸孔不会被打到 = 强大的拳击手。

## 鼻子小的时候

通过缩小女性人物的鼻子，可以表现出女人味或者可爱的一面。相反，如果扩大鼻子的话，也可以表现出男性化以及坚强的一面。

**女孩子的鼻子基本上要尽量小和可爱**

## 各种各样的符号化了的鼻子

鼻子和眼睛一样，是拥有非常强烈个性的部分。在创造脸孔的时候，用"眼睛＞鼻子""眼睛＜鼻子"来进行组合才是正确的。如果"眼睛＝鼻子"的话，就变成两个强烈个性的冲突，最后反而会造成互相抵消的效果。

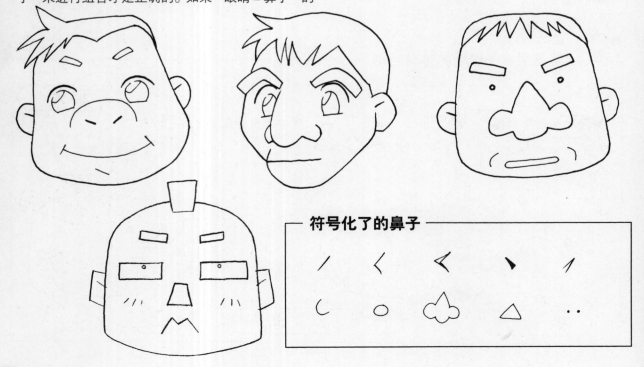

**符号化了的鼻子**

## 鼻子的感情表现

　　鼻子虽然实际上不会有什么动作，但是它的特征是可以改变颜色或是出现内分泌物。

　　如果夸张那些地方的话就可以表现感情了。比如说，觉得害羞或是不好意思的时候就可以让鼻子的上方出现红色，而喝醉酒的时候鼻头附近都出现红色，这样一来就能表现出"类似"的感觉了。

　　到这里为止，我们所说的都是鼻子的外形的问题，但是实际上，鼻子也好像眼睛的泪水一样，是存在各种各样的选项的。

　　首先是"颜色"。鼻子根据时间和场合的不同会产生颜色。害羞的时候，喝醉的时候，摔倒而撞到脸孔的时候，鼻子都会变红。

　　但是呢，如果连这些红色也要变形，那么画的时候如果不能好好区别的话，就会留下很不自然的感觉。此外，鼻子变形大的时候或变形小的时候，这一点也会有所变化。

　　比起用文字来说明，还是直接让大家看一下图形比较好吧？

　　其次呢，不知道什么原因，鼻子上好像很容易出现青春痘和包包之类的东西。虽然我不是很清楚医学上的事情，但我觉得也许是因为鼻子的毛孔比其它的部分要大，或者说分泌物比较多，容易进入细菌的关系吧……但是在变形的时候，这一点也可以作为个性特征来处理。

　　虽然最近不是很多见，但是"流鼻水"已经是表现孩子气的惯用手法了。只不过如果进行了过度表现的话，会变成很"白痴"的感觉，所以一定要加以注意。

　　在表现生气和鼓足劲头的时候，人们常说"鼻子喷着粗气"。不过话说回来，如果光是表现粗气的话，经常会变成好像排气瓦斯一样的烟雾式的表现，所以大部分人都会夸张一下多少也会扩展的"鼻孔"，和粗气的表现一起使用。

害羞、内向

醉鬼

孩子气

生气、鼓足劲头

# ONE POINT
# 即使没有鼻子也能创造出立体效果

虽然在变形人物的世界里面，省略鼻子的情况非常多，但是实际上也有很有特征的鼻子，所以也不能一概而论。尽管没有鼻子的人物也是OK的，但是"没有"和"看起来没有"还是有很大区别的。

因为没有鼻子的话，光是这一点就足以构成"个性"，所以可不能在画人物侧面的时候又突然出现鼻子。没有鼻子的人物就算在侧过脸孔的时候，也必须把没有鼻子贯彻到底。但在这种时候，为没有鼻子的人物创作出立体效果就非常必要了。在线条非常圆润的时候，感觉上就和实际人类的头盖骨不一样了，请在充分认识到这一点的基础上，好好掌握"球状头盖骨"。

从正面看没有鼻子的时候，侧过去的时候也不能加上！

如果一直把它当成立体球体的话，应该就可以进行旋转。

# 嘴巴是柔和变化的部分

在脸孔之中随着肌肉的运动，会进行最大变化的部分就是"嘴巴"。

说到嘴这个部分，如同大家也知道的那样，它是我们这些人类将思想转化为语言向他人传达的时候最频繁活动的部分。因此形状也非常多，可以说是最适合表现一个人的"社会性"、"协调性"的部分。

## 各种各样的嘴巴形状

**断面图**

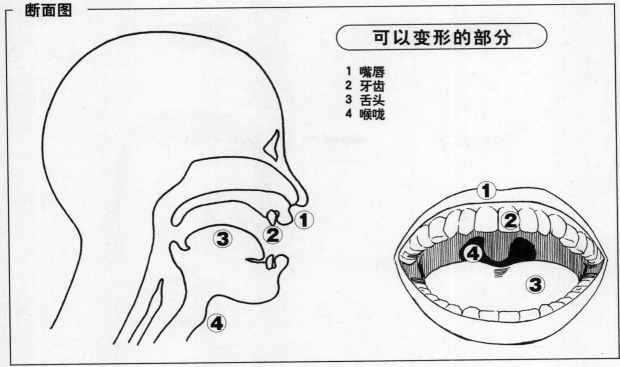

## 可以变形的部分

1 嘴唇
2 牙齿
3 舌头
4 喉咙

## 各种各样的嘴巴

下牙 + 舌头

除了特殊的例子以外基本上不会使用

吸血鬼牙齿

除了用在怪物身上以外，也可以用在人类身上表示个性

黑牙 + 舌头

可以用在小孩子或者可爱的人物身上

强调犬齿

可以用来表现个性

强调上牙

正统的嘴巴表现，在画笑脸等等的时候可以用来强调喜悦

缺牙

可以用来表现人物的可爱

# 个性化的嘴巴形状

## 闭上的嘴巴

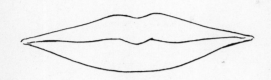

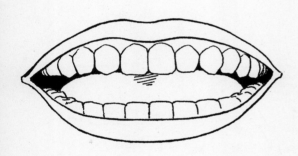

## 张开的嘴巴 1

## 张开的嘴巴 2

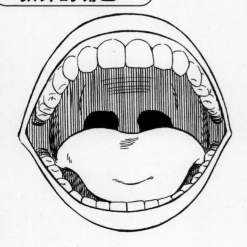

33

# 嘴巴的变形模式

　　让我们来考虑一下每个部分的印象应该怎么保留下来。在设想"嘴唇"、"牙齿"、"舌头"这三者的时候，首先让我们来设想这个对象人物是实际存在的，当你和它面对面说话的时候，你首先会注意到这个人物嘴的哪个部分呢？

　　是"牙齿"吗？还是"舌头"？在进行变形的时候，这个印象就变得非常重要。特别是"嘴唇"，因为是柔软的部分，所以可以表现出各种各样的形式。当然了，在变形的时候也可以画得出人类所无法做到的嘴巴的形状，但是要是因此就勉强加入过度夸张的动作的话，就会破坏整体的平衡。所以一定要加以注意。

　　在"牙齿"这个部分，其实也有千变万化的差别。有不少人在画变形人物的时候，经常理所当然一样在上嘴唇的下面画上一条线就算是万事大吉。但是所谓的牙齿，真的只是这么单纯的东西吗？就算同样说是牙齿，也有门牙，犬齿，臼齿，上牙和下牙等等不同的部分。

# 嘴巴的感情表现

通过组合来提高表现

| 通常表现 | → | 表现升级 |

## 大嘴巴看起来表情比较丰富！

少年  嘿嘿嘿  愉快的样子

政治家  叽叽咕咕  看起来很有说服力

# COLUMN
# 脸上的短线是什么意思?

在变形人物的面颊上经常会加入若干根短短的线条。大家认为那些线条是什么线条呢?

目前最常见的说法是这种线条起源于《巨人之星》的主人公飞雄马年幼时面颊上所带的线条。但是因为实际上那个飞雄马脸上的线条到底是什么东西,作者并没进行过正式的公布(也许只是我不知道(苦笑)),所以直到目前这个阶段为止还无法确认作者是出于什么想法才加上的那些线条。所以我在这里要谈的只是Q版人物·变形人物面颊上的线条而已。说实话,关于这一点其实是有若干的答案的。

如同我们至今为止所看过的那样,因为Q版人物·变形人物是靠着被省略或者被符号化的某些部分才形成的,所以我们也许可以认为,是某种"东西"被省略,被符号化才成为了那样的线条吧?那么,那个"东西"到底是什么呢?在用在小孩子或者婴儿身上的时候应该是指"面颊的红晕"。

而在已经成长到一定程度的孩子身上出现的时候,主要应该就是"用来表现脸孔立体感的线条"了。所以说,在前面所说的小孩子的时候,为了表现"面颊的红晕",就在面颊的中央部轻轻加入几根线条,而要表现成长后的"立体面孔"的话就在面颊中央部稍微靠上的部分轻轻加入若干根线条就好了。

虽然也许很多人会觉得这样做没有任何的意义,但是实际上那些线条里面还是存在这么多意思的。

根据人物年龄的不同,'线条'的加入方法也会改变哦。

# 耳朵是表现作家个性的部分

耳朵多半是最难以表现出人物个性的部分吧？而且耳朵动不动就被头发所掩盖住，就好像是影子一样的存在。但是，我想应该也有人会注意到"啊！这个耳朵是某某老师画的耳朵！"吧？

没错，耳朵确实不适合表现某个人物的人格、行动等等特征，但是我们可以说，它是个很容易反映出创造这个人物的作家个性的部分。

## 各种各样的耳朵

最初可以参考一下
自己喜欢的作家的
耳朵。

## 耳朵的位置要放在适合戴眼镜的地方

因为是变形人物，所以和素描不一样，对于耳朵的位置没有必要过度的去神经质。但是问题在于"眼镜"。我们必须把耳朵放在戴眼镜的时候不会显得不自然的位置。所以基本做法是将耳朵配置在面孔轮廓的中央位置。

## 各种各样的耳朵

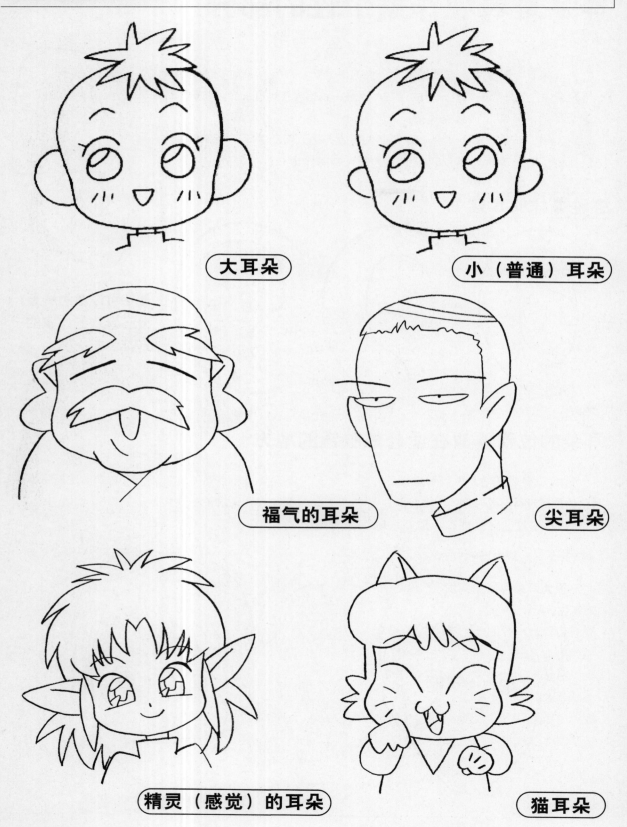

大耳朵

小（普通）耳朵

福气的耳朵

尖耳朵

精灵（感觉）的耳朵

猫耳朵

# 不要忘记耳朵的存在

单薄的头发（感觉上比较少）

在画女性人物的时候，耳朵经常会被头发所遮盖住。所以尤其需要记住，虽然看不见耳朵，但是耳朵还是切实存在的。

普通的脑袋（能够感觉到耳朵的存在）

## 隐藏在头发中的耳朵是精灵的耳朵！

因为耳朵可以用头发遮盖住，所以如果想让人物拥有和其他人不同的地方，但是这个不同又要保密的话，就可以把人物的特征定在耳朵上。因此可以说在设定和故事发展上，这都是个容易发挥的部分。

# 耳朵的感情表现

耳朵长

真的有变大了的感觉啊。

耳朵实际上不是个会频繁活动的部位。所以除了搞笑等等的表现以外,基本上不会通过动作来表现耳朵。但是可以通过变化大小等手法,来表现这个人利用耳朵进行的行动。

---

**可以通过把老年人的耳朵画大（福耳），表现出温和的印象。**

很不可思议的,在漫画以及插画里面,很少能见到年轻的有福耳的人物。"福耳"这种表现用在老年人身上的比例无论如何都要高得多,这也可以说是某种"约定俗成",利用了偏见的变形吧?

# 发型是令轮廓有所差别的部分

因为头发可以剪，可以绑起来，还可以改变颜色，也就是可以根据自己的口味在很大程度上改变形状和颜色，所以头发可以说是个性相当丰富的身体部分吧？

让我们在以《邻家的鬼太郎》、《龙珠》为参考的同时，设计出一些充满原创性的发型吧。

**各种各样的发型**

41

## 通过头发让轮廓产生差别

在描绘变形人物发型的时候，首先要考虑的不是"如何梳理"，而是需要"什么样的发型（外部轮廓）"。大家甚至可以不用去考虑这个发型是怎么弄出来的，就算是把它当成是利用假发的结果也 OK。

### —— 人物无法用颜色、网点来区别 ——

即使改变了服装和头发的颜色，在黑暗中或是特殊灯光下也是没有意义的。如果把个性放在重点考虑的话，就必须无视颜色这个要素（当然也包括以此为基准的网点）。

42

# COLUMN
# 轮廓的重要性！

现在把话转回正题，各位都是通过什么要素来判断站在远处的朋友呢？有视力好的人也有视力不好的人，也有通过声音来呼唤的人，虽然我想是有各种各样的办法啦，不过从各种资料来看，好像通过轮廓来判断的人还是最多的。

首先请看一下图 A。如果问题是请找出这个人的话，在以下的轮廓并列在一起的时候，大家能明白哪一个才是目标吗？应该很难分辨吧。

接下来请从 B 组里面进行寻找。这次应该很快就能分辨出来了吧。仔细想想的话其实也是理所当然的事情，我想谁也很难断言自己在表现一个人物的时候，绝对不会用到影子或是背影吧。

到那时候如果出来的只有 A 那样的组合的话，这个漫画会变成什么样子呢？在画到夜晚的场面或是从背后看过去的场面的时候，就会变成看起来很费劲的漫画了吧？这么设想一下，我想大家应该就可以明白轮廓是多么重要了。这样一来，因为靠着脸孔的部分很难创造出轮廓，所以大都是通过发型来表现固有的个性以便识别的。

因此就不能只是拘泥于定型的发型，而多少要通过自由的感觉来掌握头发的造型。不过说到底头发也是只头发，所以除了拥有特殊设定的人物以外，最后还请大家不要忘记让头发拥有被风吹到就会飘拂等等头发原本就拥有的特性。

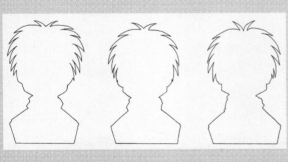

# COLUMN
# 轮廓的重要性 2

最近能够把帅哥和美女画得非常漂亮非常高明的作者可以说是数不胜数。但是相反的，轮到长相抱歉的人，丑女，或者大胖子等等远比帅哥和美女要个性强烈，线条简单的人物的时候，就完全无计可施的作家也越来越多了。

暂且不管是否喜欢，先让我们来看一看手冢老师和石森老师等等进行了几十年创作的漫画家的作品吧。他们的漫画中难道全都是俊男美女吗？除了帅哥美女以外，应该也有很多其他的人物吧？甚至于有的作品中是完全没有帅哥美女出现的。

即使在我自己的学生里面，也有相当不少的人认为只要能够画得好俊男美女，就能创作出帅气、美丽的作品，所以除了俊男美女以外什么都画不好。

请大家好好想一下。超人为什么是超人呢？那是因为他是在地球上，和"地球人"相比起来格外出众才会是"超人"吧？如果超人去了超人的星球的话，就不再是"超人"，而是"普通人"了。

俊男美女也是这样。如果出场人物全都是俊男美女会怎么样呢？那就不是俊男美女，而是普通人了哦。俊男美女是和什么人进行了比较之后才会

存在的，就是因为存在多数不够美的人，贵重的俊男美女才会成为故事的主人公，才会成为英雄和女英雄。

但是在我的学生之中也有这样的人，他们要画长相抱歉的人物的时候，轮廓就保持着原样，只不过把脸孔弄脏了就认为是创作出丑人了。那么说长相抱歉就只是把俊男的脸孔弄脏或是增加皱纹吗？这样的话读者也不会认同吧？如果不从骨骼比例重新创造的话，就只会变成充满不自然感觉的人物了。

作为一个漫画家，不但需要知道流行物品以及当红偶像等方面的知识，对于走在大街上的普通人的行动、外观等方面的知识，更是要掌握到那些的几十倍之上。

而且我也希望大家能够理解，那些人并不都是同一个轮廓，在他们身上是存在着各种各样的轮廓的。

每个人物都分别有自己的背景（设定），而这一点也经常直接联系到了轮廓上面。

相反的，也可以先刻画出轮廓，然后配合这个轮廓来设定人物。

例：胖子→"大胃王、老好人等等"

**谁是勇者?**

NG

谁是主人公？

OK

体育故事

OK

英雄故事

OK

小孩子的故事

# 脸孔的比例通过三角形来创造

脸孔的比例如果按照某个模式来构成的话，就能产生牵动人类感情的效果。通过眼睛的大小和位置，可以产生让读者觉得这个人可爱或是想要保护他的效果。

那么，除此以外的效果又是什么样的东西呢？我想让我们通过若干的例子来考虑一下吧。

如果看过下面并列的画之后，我想大家应该就可以明白了。虽然也有眼睛的大小等五官部件上的变化，但是更大的变化还是发生在连接"眼睛和眼睛之间的距离"、"从眼睛到鼻子、嘴巴的角度和距离"的"三角形"上面。百闻不如一见，我想大家应该也能看出来，这个"三角形"是正三角形还是等边三角形的问题直接关系到人物的个性和气质上的变化。所以请找出各种各样的三角形来吧。

眼睛之间的距离宽度，鼻子的位置在上还是在下，各个部分的大小，看到的人不同的话，也都会随之产生不同的印象吧。当然了，我先把话说在前头，实际的人物并不一定就和这个印象是一致的。如果认为脸孔就等于印象和性格的话，那就属于歧视的范围了。而且我自己的长相也属于无法恭维的类型，如果靠脸孔来判断的话大概会被划分到犯罪者里面吧（笑）？我们这里自始至终说的都只是漫画上的印象，希望各位读者能在充分理解这一点的基础上再把话题继续下去。

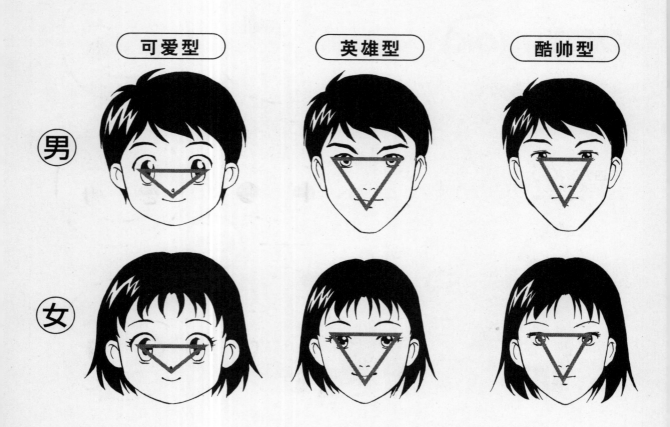

# 说眼睛大就是"可爱"是骗人的

人们常说把眼睛画得大的话就显得比较可爱，但是事实上真的是这样吗？这个世界上也有很多眼睛不大也很可爱的人。……也就是说进行变形应该也一样可爱才对吧？所以如果要把变形发挥到极致的话，就要抛弃变形人物的通俗概念，才能够创造出自己所希望的角色。

同样的，不光是眼睛的大小，位置，比例，无论是改变哪一个都会让可爱的程度有所改变。就让我们实际来看一下吧。

小眼睛

大眼睛

---

## 比例会孕育'可爱'

■眼睛的位置
比起把眼睛放在轮廓的上部来，放在中心部分的话看起来会更加的可爱。

■四方形和圆形
比起有棱有角的轮廓来，线条柔和的圆形轮廓看起来更可爱。

■圆形和椭圆形
比起变形的圆形来，标准的圆形看起来更可爱。

# 创作 Q 版人物时需要注意的地方

虽然说是变形人物，也不等于做什么都OK。

有的时候也是基于一些原则被组合起来，看起来才比较顺眼。

当然了，打乱眼睛的高度或是比例并不在这个范围内（那样只能用在搞笑和拼图脸人物上面）。

偶尔也有人为了让自己的人物看起来帅气而使用远近法，但是在并非多么巨大的人物脸孔上使用远近法其实需要相当高明的技术。而且其实原本不加入这个也没有问题的。所以最好是不要只顾着眼前的东西，最后弄成了不伦不类的远近法。

# "让我们来考虑变形程度！"

用变形程度不同的
部分所构成的人物

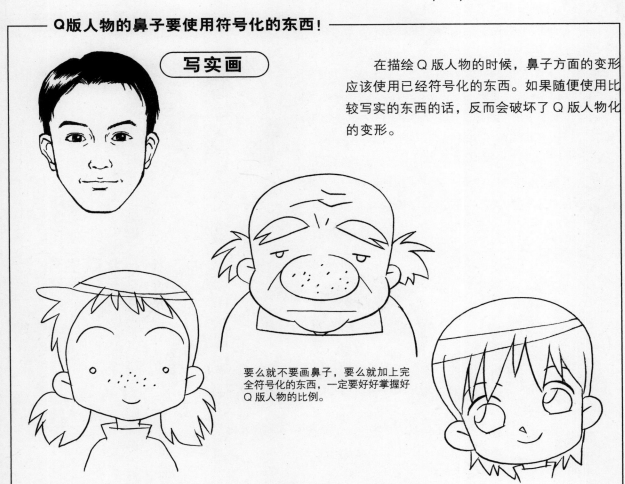

## Q版人物的鼻子要使用符号化的东西！

写实画

在描绘Q版人物的时候，鼻子方面的变形应该使用已经符号化的东西。如果随便使用比较写实的东西的话，反而会破坏了Q版人物化的变形。

要么就不要画鼻子，要么就加上完全符号化的东西，一定要好好掌握好Q版人物的比例。

# 描绘西方人的Q版人物

　　西方人和东方人通常从外表上就能区分开，也就是说，变形的时候，只要抓住特征就可以表现得出国家和人种。我们这里刊登的还只是其中的一小部分，我想寻找出各个国家的特征应该也是很有趣的事情，所以请大家一定要试试哦。

　　我们首先可以就俄罗斯血统和北欧血统的差别来看一下。当然了，我这里所说的并不是理论上的，而只是"感觉"上的。我自己的做法是，在描绘俄罗斯血统的时候，让他们的脸孔上多少带上蒙古民族的风格，感觉上就有了那个味道。

　　而画黑人的时候，如果增加阳光的感觉，并且把眼睛和嘴唇处理得引人注目的话，就可以说是有了那个味道。虽然在发型等等的地方上也可以创造出"没有东方人味道"的感觉，但是画得过于灰暗，或是画出了给人不好印象的东西的话，有可能会被认为是歧视的表现，所以还请大家多加注意。

　　我在这里所介绍的西方人的画法，始终也只是我个人所认为的特征，并不一定绝对就是这样，所以请大家小心一定不要弄错。

**俄罗斯血统**

正三角形

**北欧血统**

二等边三角形

黑人

# 不同年龄脸孔比例的变化

作为人类来说，年龄会改变脸孔的感觉可以说是理所当然的事情，不过真正能够理解改变哪里会产生什么变化的人又有几个呢？就算是我自己也还有很多不清楚的地方，有关成长和老化有很多值得研究的部分。

老化所造成的荷尔蒙平衡的崩溃会让男女分别出现不同的变化。比如说，

○皮肤的光泽（基本上男性会比较好）

○头发的量（基本上男性会比较少）

○眉毛（基本上男性会变得比较长）

○耳毛（基本上男性会变得比较长）

○胡子（虽然非常少见，但有的女性会随着老化而出现胡子）等等……

如果只是在年轻脸孔的额头上画上三条线，在嘴角外眼角等地方画上皱纹，你笔下的人物还是无法成为老人的。那么简易的手法是无法表现老化的。

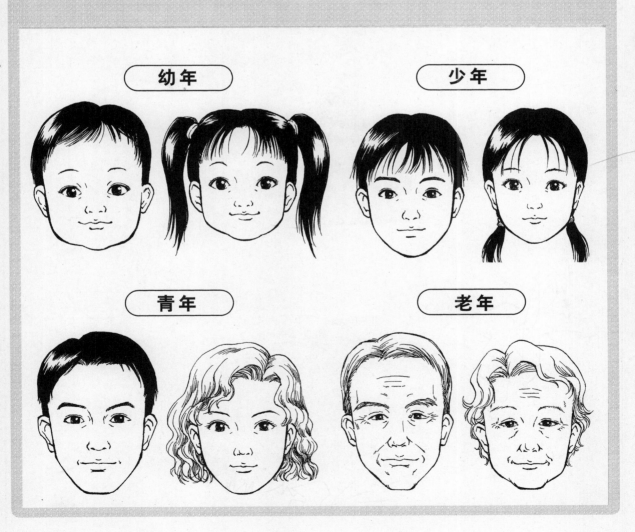

幼年　少年　青年　老年

# COLUMN
# Q 版人物的仰视和俯视

当然了，虽然说是 Q 版人物，但由于构图等等的关系，必然会需要用到仰视和俯视的画面。如果将 Q 版人物作为"立体"来考虑的话，我想应该就可以毫无问题地加以理解了。

首先需要注意的就是，在画漫画时所创造的人物，和作为插图而画的人物是属于不同立场的东西。在创作插画（西红柿的画）的时候，因为那些东西只要能看就够了，不需要作为"立体"来识别，因此只要把它作为平面的人物，画得漂亮愉快就可以了。而在画漫画的时候，那个人物必须在作者所创造的世界观中生活下去，因此必须要有立体的识别。当然了，我所说的立体不仅指各个角度，也包括了和远近法的结合等等的问题。

所以请大家注意不要出现我以前所提到过的错误，让自己所创造的 Q 版人物都能充满生命力！！

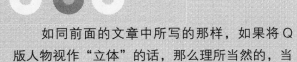

# COLUMN
## Q 版人物的阴影

如同前面的文章中所写的那样，如果将Q版人物视作"立体"的话，那么理所当然的，当有光源存在的时候，也就会产生阴影。只不过，

虽然说是阴影，也不等于普通的写实画里面的那些东西。它们始终都是依据Q版人物的立体感才存在的，所以必须切实理解Q版人物的立体感。

让照到光的地方明亮，
那以外的地方阴暗

不好的例子

光从前方照来

光从后方照来

光从正上方照来

# 身体比例的捕捉方法

既然我们已经多少了解了一些脸孔的比例，那么下面就让我们来看看身体的比例吧。因为这个也和脸孔的比例相关，所以没有什么绝对的公式，

不过呢，如果看过下面的写实画和三头身的画以后，我想大家应该注意到了一件事。那就是手足的比例和写实画中手足的比例基本上是相同的。因此能够画写实画的人，那么他对于这个比例也就具备了一定了解，在画Q版人物的时候，只要保持着这个比例，将细节进行变形的话，就能获得基本的身体比例了。不过考虑到前面所写的脸孔比例，如果在创作的时候不首先考虑好身体上面会有什么样的脸孔的话，就很容易画出比例糟糕的东西了。

如果要画的是原创人物，那么首先创造出脸孔的比例，然后去构成适合这个比例的身体就非常重要了。

① ② ③

**3 头身** 以脑袋的大小为基准将整个身体分割成三部分。如果肩宽和脑袋的幅度大致一样的话，比例就会显得比较好。

① ②

**2 头身** 以脑袋的大小为基准将整个身体分割成两部分。如果让肩宽比脑袋狭窄的话，比例就会显得比较好。如果脑袋和身体的面积大致相同的话，身体的比例看起来就比较好。

**"男女不同的瞩目点"**
- 乳房
- 骨盆
- 肌肉
- 股间
- 腰部的弧线

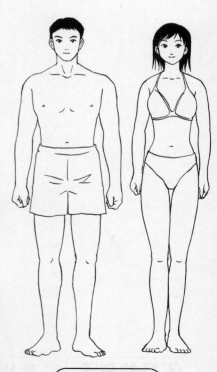

**模特画**

# 身体表现的多样性

## 1、〈肥胖的身体〉

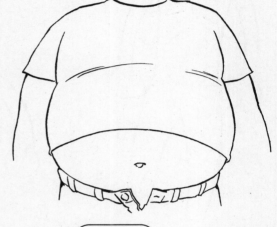

### 肥胖 A

如果想用衣服被撑的紧紧的感觉来表现肥胖的话，最好选择容易加入高光的服装。那些因为脂肪和肥肉造成的褶皱就用高光来表现好了。

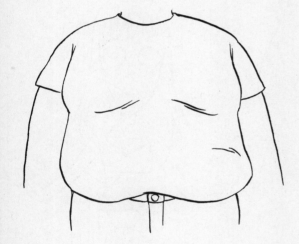

### 肥胖 B

虽然是在搞笑漫画中常用的表现，不过最近已经很难见到了。这是用短小的衣服，如裤子都撑的快要穿不上来表现肥胖。感觉上有点可爱吧？

### 肥胖 C

用肉都垂下来的感觉表现肥胖。虽然偶尔会让人产生厌恶的感觉，但却是最常见，也容易让读者理解的表现肥胖的方法。只不过大家一定要注意肉下垂的分量就是了。

### 女性的肥胖

在画成人女性的时候，如果强调胸部的圆形，并让这个部分显得朝上的话，肥胖的感觉就能出来了。如果是小孩的话，用和上述方法（A－C）同样的表现就OK了。

## 2、〈干瘦的身体〉

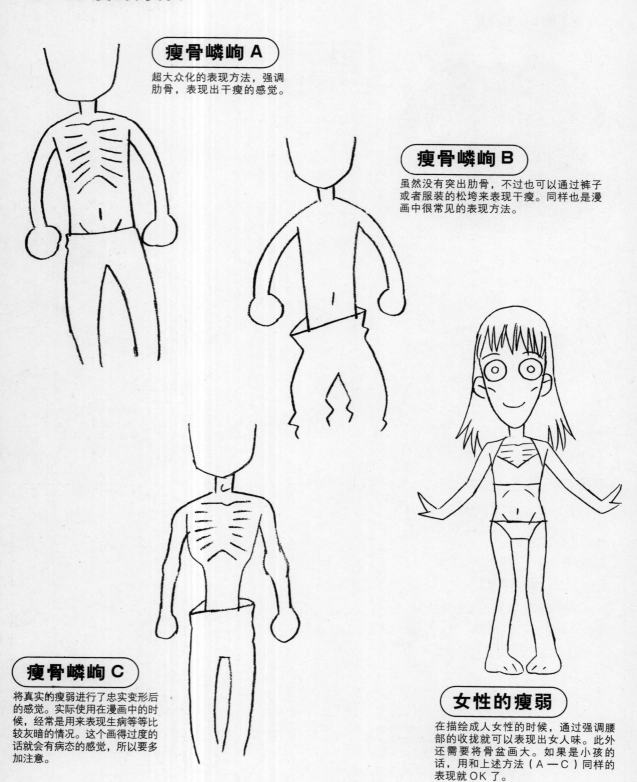

**瘦骨嶙峋 A**

超大众化的表现方法，强调肋骨，表现出干瘦的感觉。

**瘦骨嶙峋 B**

虽然没有突出肋骨，不过也可以通过裤子或者服装的松垮来表现干瘦。同样也是漫画中很常见的表现方法。

**瘦骨嶙峋 C**

将真实的瘦弱进行了忠实变形后的感觉。实际使用在漫画中的时候，经常是用来表现生病等等比较灰暗的情况。这个画得过度的话就会有病态的感觉，所以要多加注意。

**女性的瘦弱**

在描绘成人女性的时候，通过强调腰部的收拢就可以表现出女人味。此外还需要将骨盆画大。如果是小孩的话，用和上述方法（A—C）同样的表现就OK了。

# 3、〈健美（肌肉质）的身体〉

要画出肌肉感的身体的话，就需要先学会怎么画肌肉。如果光是追求这个，感觉上也比较恶心，所以只要在胸肌和腹肌等容易留下印象的部分进行强调，感觉上就会有很大的不同了。

## 肌肉感的男性

把手腕画粗，手画小，肩膀画宽，腰画细。从上到下都使用比较粗硬的线条。

## 肌肉感的女性

强调胸部。此外，如果强调腰部的线条就会比较有女人味了。

## 不要忘记将它们考虑成立体感的存在

虽然说是肌肉，不过也不能只把它当成平面的存在，而忘记了立体感的问题。只要身体活动，或者是位于有光线的地方的话，这些就是不能回避的问题。

肌肉会以什么样的立体形式出现，就请大家通过观看健身节目和体育活动来学习吧。

# ONE POINT
# 通过不协调搭配来营造人物的个性

●●●

　　前面我们所说的都是需要注意的地方，但是在实际运用的时候，如果像这样打破比例，将完全不搭调的部分集合到一起的话，就可以利用这一点而形成有趣的人物。

　　当然了，也不是所有的不协调搭配都能成功。如果是变形基准、意义都难以明白的人物的话，别说是让人觉得有个性了，反而会让读者觉得怪异。

　　所谓成功的不协调搭配呢，就是好像眼光锐利的老人或者娘娘腔的体育教练那样的人物。虽然在整体构造上看起来有点不太搭配，但是这种不和谐部分反而成为了有趣的个性，让人物拥有了生命力。

明明有成熟的脸孔，身体却还是小孩子的不协调搭配。

不协调搭配的失败例子。需要进行一些诸如把衣服画年轻点等的补充。

虽然穿着西服，却配上很幼稚脸孔的上班族形象的不协调搭配。

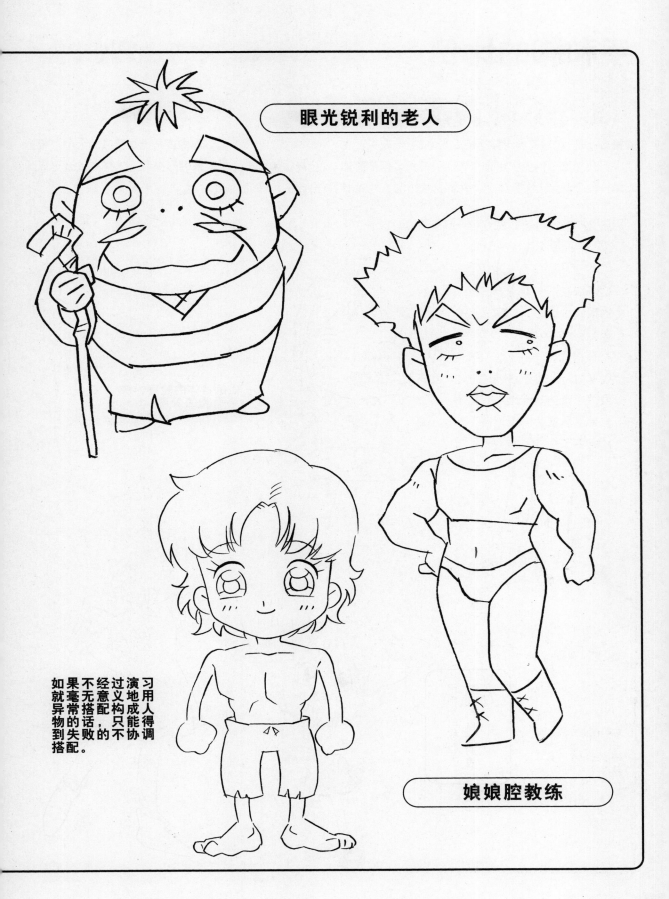

眼光锐利的老人

娘娘腔教练

如果毫无异常的失败物的搭配。就异物搭配到不经意的话，不无意义的搭配，只能演义构成过习用人得成能协调地

# 手和脚的比例

将手脚设置成多大的长度比例才比较好呢？正确的答案就是，"只要和身体搭配就是好的"。在实际生活中，虽然孩子们多少也有个人间的差别，但是整体来说，孩子和大人在身体上，手脚长度比例上并没有太大差别。

手脚长度的基础原则就是无视脑袋的大小，根据从身体计算出的长度来进行描绘。这样应该就可以画出比例均衡的Q版人物。

根据身体的轮廓，决定手脚的长度

用比例匀称的手、脚进行自然的表演！

# 搞笑的表现可以通过破坏比例来获得效果

　　在进行搞笑表现的时候，可以通过破坏身体的比例
而让人物活灵活现。现在我们就来看看下面的例子吧。

使用远近法

鱼眼透镜风格

跌倒

是
……

缩小脑袋

# Q版人物的动作

现在让我们复习一下在本书最初的部分讲过的内容。人物以3头身或者2头身存在虽然是没有问题，可是人物在进行某种动作的时候，有时就必须弯曲关节。尽管也有不用弯曲关节就能表现的动作，但如果无论如何看起来都不自然的话，在那些场面就不能不勉强一点，当场拉长人物的头身了。

这里需要注意的就是，在变化头身的时候，最好只进行最低限度的变化，尽可能不要让变形程度有太大差别。

## 随机应变地改变头身，弯曲关节。

Ⓐ

Ⓑ

为了配合那些场面，就要充分运用好A·B了。漫画是思想创造的产物。只要作者想得到的话，Q版人物就什么都可以做得出来（笑）。

# COLUMN
## 让头身变化的技巧

下面让我们继续前面的话题，在进行让头身变化的动作的时候，除了要注意前面说到变形程度等等外，还有一点必须要加以注意。那就是如同下面的画面一样，必须让读者很容易就能理解到，这两个头身不一样的人其实是"同一人物"。为此就不能光是练习一种变形方式，而必须掌握若干模式的变形方式才可以。

当然了，我这里所说的并不只是3头身和2头身，2.5头身也好，3.3头身也好，能够按照感觉画出自己需要的头身才是最重要的。

# 第 3 章
# Q 版人物的转化

# Q 版人物设计实例

在这里，我想就我以前所做过的人物设计中与变形有关的人物来谈一下。

那是某个游戏厂商拜托我设计的人物，其实在企划的阶段，这个对开页中的所有人物全都是同一个人（笑）。最初为了决定采取什么感觉的变形人物为主人公考虑了各种各样的方案。少爷类型，英雄类型，有点迷糊的类型……将这些全都作为主人公进行演示后，再从中最后筛选出一个人。

而这个游戏的主人公最后就定为了中央右侧的那个拿着魔杖的少年了。接下来，由于这个变形人物在游戏的辅助画面中会出现拥有写实感觉的镜头，所以也要根据这个变形人物创造写实的人物。

而这样的话就是从变形人物转化为写实人物，那就要用到和至今为止所写的内容完全不同的手法了。

在这种时候就要看着 Q 版人物来设想这个人物在普通漫画中会是什么样子了。也就是通过去想要省略什么，怎么省略才能成为这样的人物来进行逆创作。

人物方案（1）

人物方案（2）

人物方案（3）

最终定案

写实视角

与这个主人公的少女的写实画相对应的变形人物其实应该是拿着手杖的少女。不过在这里就让我透露点内幕吧。实际上被使用的却是 69 页的短裤女孩。一个人物可以说是通过各种途径来决定的（苦笑）。

写实视角

最终定案

人物方案（1）

人物方案（2）

最终定案

**写实视角**

下面画面中的是前面的主人公和女主角的敌对方面的人物。

其实这是我相当中意的角色，除了游戏以外，她还在我的一部名叫《鬓发一级棒》的漫画中充当过主人公，甚至于在我参与设计的动画中也曾经登场。不过现在看起来的话，企划阶段的长发造型其实也很可爱嘛。

**人物方案（1）**

最终定案

最终定案

这一页上的是和主人公一起旅行的少年角色。在企划书的阶段，这个少年被设定为了"盗贼"。所以在最后定案的时候我们也尽量保留了这个感觉。

像这样个性强烈的配角虽然很容易表现，但是反过来说，因为主人公和女主角接近没有个性，所以设定的时候反而相当辛苦。

写实视角

最终定案

人物方案

主人公的父母

敌军司令

# Q 版人物和服装的变形

至今为止我们讲述的都是 Q 版人物的脸孔和身体方面的问题，然后我突然注意到一个问题，有个对于每个人物来说都是不可缺少的部分还没有讲到。那就是衣服。当然了，因为是 Q 版人物穿的衣服，所以自然不可能是写实的服装。为此必须把服装也进行变形来配合 Q 版人物。只要抓住服装的特征，采取和人物的脸孔身体同样的变形方法就可以了。只不过就算是少许的效果线的差别也会改变整体的氛围，而且根据穿衣服的人物的不同，给人的印象也会大不相同。而且由于作者本身的品位，既可以让人物变得土气，也可以让他们充满了清爽感。当然，赤裸的人物就不需要这个环节了（笑）。

清爽、明朗

邋遢、土气

74

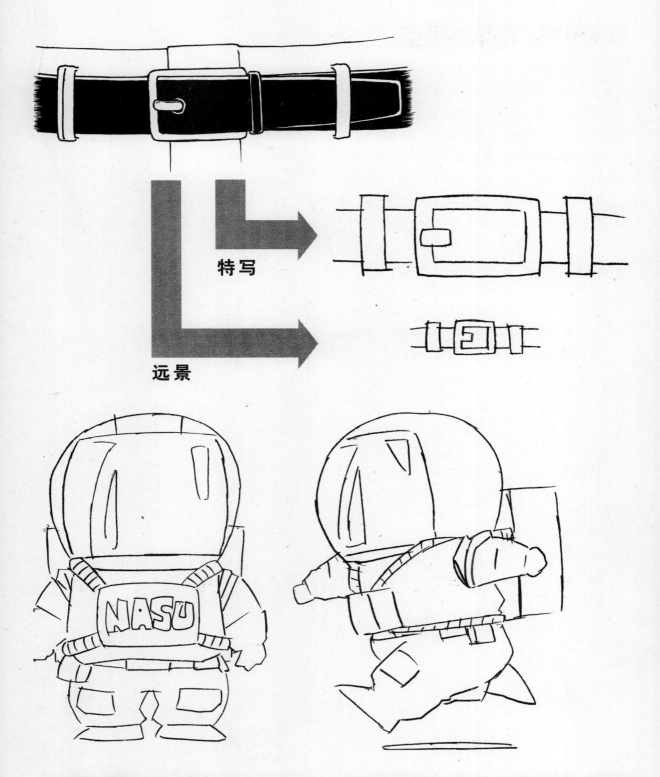

特写

远景

比起脸孔等部分来，服装作为识别手段的场合要少得多。所以在使用远镜头的时候就可以变形到接近极限的程度。我们就以皮带为例子来看一下吧。

虽然是很少见的例外，不过如果穿的是宇宙服以及消防服等等不会露出脸孔的衣服的话，衣服本身的特征就成为了人物的特性。所以就算是像前面所写的那样变形到一定的极限，也必须进行适当的处理，不能消除掉特性。

## 和服需要注意的地方

　　特别需要注意的服装之中就包括了"和服"。现代的年轻人穿和服的机会已经越来越少，甚至于有人至今连一次和服也没有穿过也不一定。不过这是属于个人兴趣的范围，所以倒是也不用在意。但是到了绘画的时候，和服的知识就变得很必要了。在这里我想谈一些在和服上容易出错误的地方。

　　原本和服最重要的要素就是它的"构造"，简单来说就是要让对于和服没有兴趣的人也能理解。在穿和服的时候将与和服同样构造的内衣穿在和服的底下……也就是说可以认为是在和服之上穿上和服。在这种场合下表现和服的领口的时候，就必须意识到这一点而进行重叠。

画和式的服装有点困难哦!

76

# 领口

下面纵向并列着三个领口的画面。最上面的是写实性的画风，将它进行轻度的变形后，就成为了下面那样的画面。在这个阶段内领和外领还没有重叠到一起。虽然这才是正确的画法，但是在极少数的情况下，内领和外领会被重叠画到一起。这种现象除非是同时穿了两件和服才会出现，所以从和服的常识角度出发的话就是大大的错误了。

然后，再进行更强一些程度的变形的话，就会得到最下面的画面了。因为内领大多是白色的，所以由于光线的关系，重叠部分的线即使省略也没有关系，但是外领的线还是尽量要留下来哦。

如果再将这个图案进行进一步变形的话，就可以像左下图一样把内领外领的线全都省略了。但是如同我们通过画面能感觉到的那样，只要留下短短的几厘米重叠部分的线条，就能够完成看起来很舒服的和服画面了。

我想有的读者大概也会在意和服的皱褶吧，但是因为和服的布料在构造上会形成非常复杂的变化，所以如果准确地去描绘的话，不知不觉就会成为写实的画风，从而破坏了整体的平衡。如果不是非常必要的话，皱褶什么的最好还是不要画的好。如果一定要表现布料的话，不画皱褶而通过立体感表现出布料的质感反而比较好吧？

# 服装的变形

在这里我们简单介绍一下各种服装的种类。虽然服装也很重要，但是如果无视服装和人物的关联性以及平衡感的话，再好的服装也只是画蛇添足。这一点请大家绝对不要忘记。让我们以需要注意的部分和不成比例的失败例子为参考，好好创造出出色的人物服装吧。

吊带背心

制服风格

连衣裙

学生服1（男）

学生服（女）

学生服2（男）

# Q 版人物和背景

　　我们谈过了衣服，也谈过了脸孔和身体，大家是不是认为人物篇应该就此结束了。其实还差得远呢。如果想让好不容易创造出的人物能够活灵活现，就不能缺少这个人物所生活的空间。

　　在这里我们就简单说一下用来表现这些的"背景"吧。

Q 版人物的世界，也必须要Q版化哦！

在背景中一定会使用到建筑物。其实它也和人类一样，肯定拥有某种特征。让我们把这一点夸张出来看一下吧。

只要在普通的大厦上加上招牌之类的东西，马上就会有商业用大厦的味道了。在有落差的大厦上加上悬垂广告和广告气球的话，就能酝酿出商场或超市的氛围。对称的建筑物加上显眼的时钟和点点绿色就让人联想到学校。大厦的窗户外有阳台，楼顶有室外机和蓄水槽的话就是公寓。至于木制楼房等等只要抓住特征，即使改变变形程度也可以使用。

**商业用大厦**

**商场**

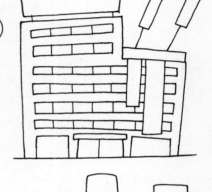

**学校**

**公寓**

**木制楼房**

小细节虽然不用管，大的部件的数字还是不能出错。此外，在一定程度之内，可以无视透视的问题。

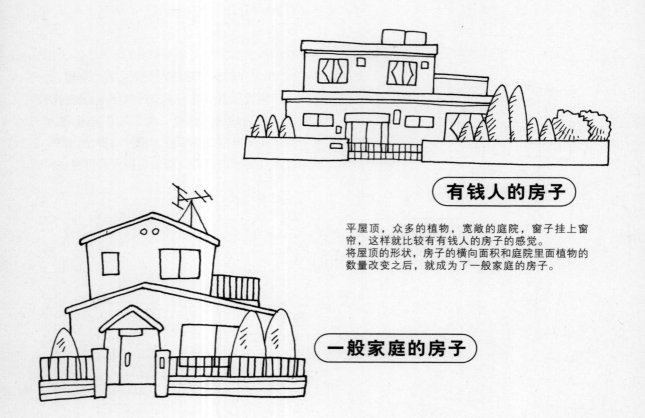

## 有钱人的房子

平屋顶，众多的植物，宽敞的庭院，窗子挂上窗帘，这样就比较有有钱人的房子的感觉。
将屋顶的形状，房子的横向面积和庭院里面植物的数量改变之后，就成为了一般家庭的房子。

## 一般家庭的房子

### 街道的变形

虽然说是街道的变形，但是远景的大厦街等等地方只要保留外部轮廓线，让 Q 版人物的背景看起来比较简单就可以了。只不过这里需要注意的是，在描绘大厦的外部轮廓的时候要尽量保持形状的不规则，如果表现的好像电波的脉冲一样的话就失去了生活感和真实感。所以不太习惯画这个的人，也许最好看着实际的照片来制造凹凸比较好。

除了这些以外，还有号称逆透视的特殊变形。

在普通的画法中，通常是把大厦的上层缩小，但是这种方法却是把下层的部分缩小，让大厦的存在非常具有个性。但是如果用的太多的话，个性反而会模糊，所以重要的是要在适当的时机使用。

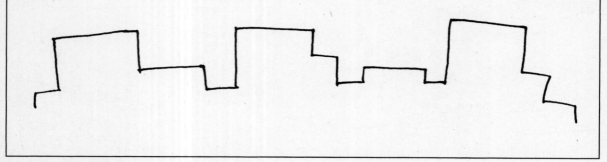

# 背景和物品的样品集

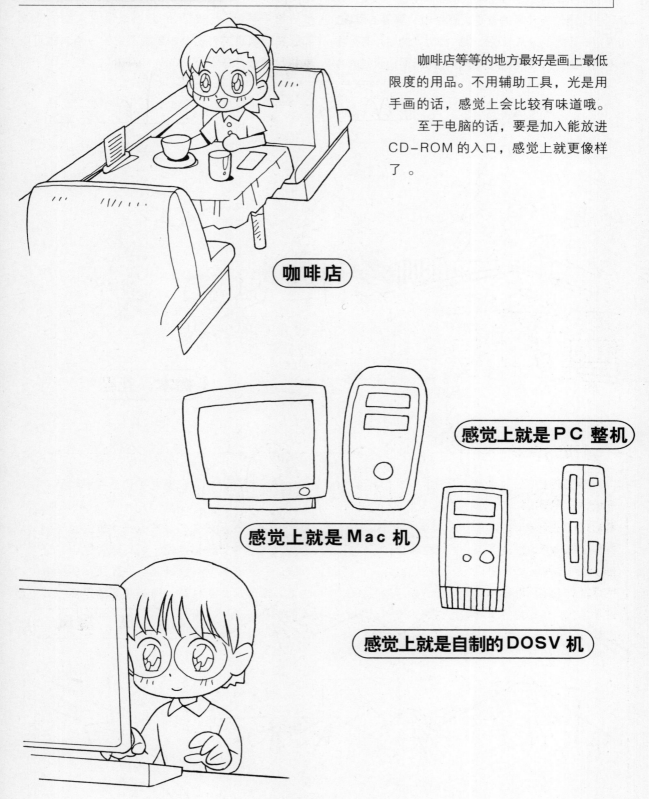

咖啡店等等的地方最好是画上最低限度的用品。不用辅助工具，光是用手画的话，感觉上会比较有味道哦。

至于电脑的话，要是加入能放进CD-ROM 的入口，感觉上就更像样了。

咖啡店

感觉上就是ＰＣ 整机

感觉上就是Ｍａｃ 机

感觉上就是自制的ＤＯＳＶ 机

自然界的存在也可以根据状况和用途而画得比较夸张。这里需要注意的就是，在画山头等等的时候，如果用日照的部分来表现立体感和时间的话，有可能会不由自主把效果线加得太多，结果反而让光线的方向变得无法判断或是模糊。所以一定要多加小心。

　　至于风的话，常见的办法是通过人物的头发和服装的飘拂来表现。如果画不出这一点，也可以单纯用线条来表示。

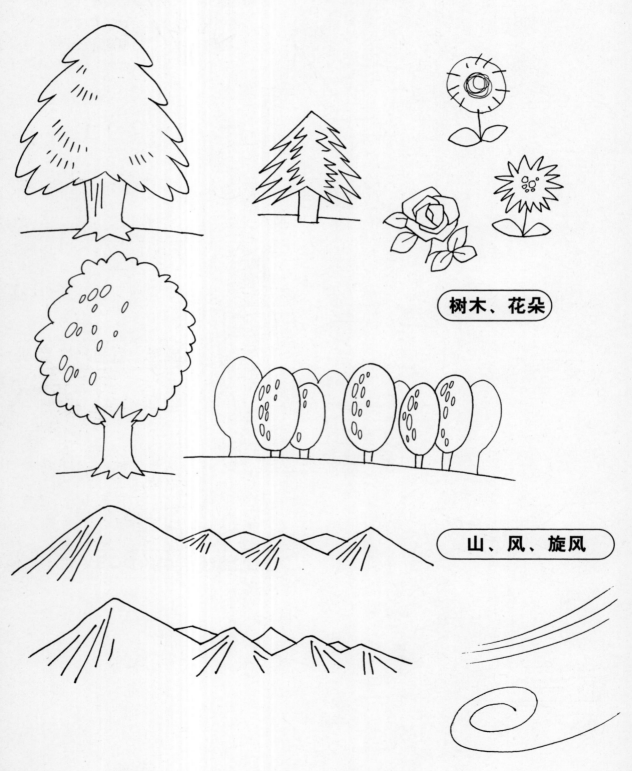

树木、花朵

山、风、旋风

闪电

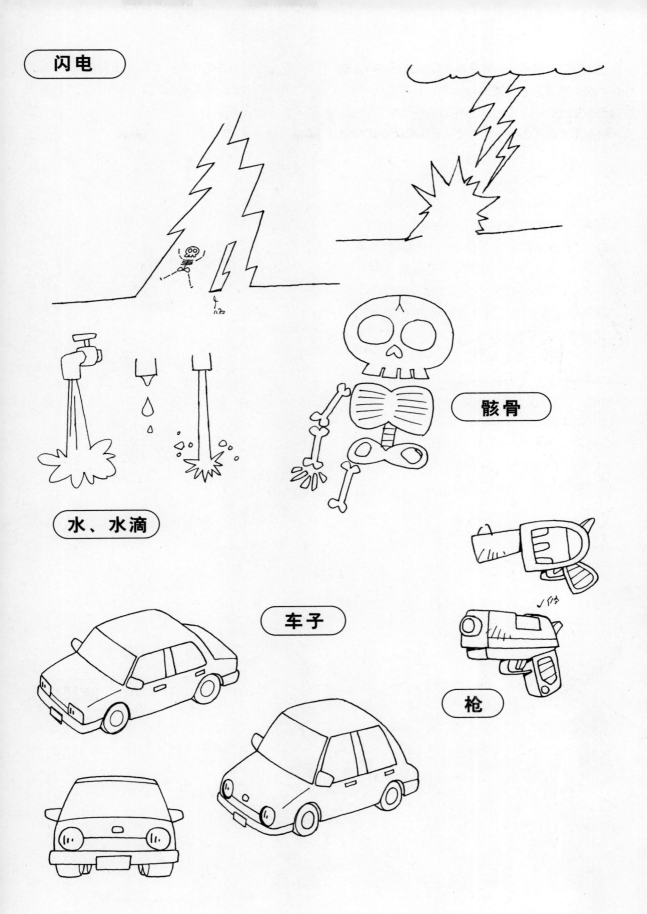

骸骨

水、水滴

车子

枪

# COLUMN
## 机器人的 Q 版人物化

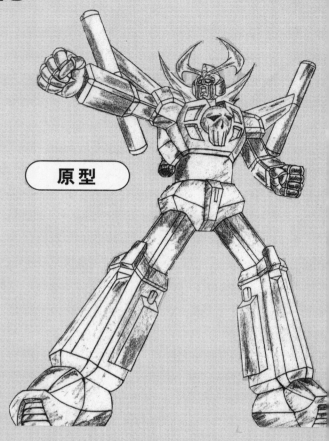

说到机器人的 Q 版人物化，我以前就参加过若干个这类的企划。也是因为这些工作的关系，我现在才能靠着变形人物来吃饭。我想对于这个应该也有人会抱有一定的兴趣，不过这次我打算只是顺带谈一下，让大家有个简单的参考就可以了。这次我就借用自己学校学生的毕业作品为范本来谈一下吧。

对于第一次变形机器人的人而言，大部分人会觉得部件多的要命，感觉上非常的麻烦吧？但是只要使用制作 Q 版人物时所讲述的手法，这些就完全不成问题了。要说为什么的话，就是这些机器人大都是拟人类型。只要把它们当作是穿着比较特别衣服的人类，就可以运用和创造人物时同样的手法了。

原型

### 〈企划书的概要〉

植入了 70 年代机器人动画精髓的让人目瞪口呆的热血机器人动画。让我们用热血、用实力来打破"机器人动画＝只是机器人之间不断战斗的动画"的误解。

这就是融会了如此炽热情感的动画作品！

# Q 版人物化第一阶段

　　请大家看着上一页写实画风的机器人，将它当作人来考虑，然后了解每个关节相当于人类的哪个关节，留下必要的关节之后，一步步寻找出特征，然后处理掉不需要的部件就可以了。

## Q 版人物完成

　　虽然最终是调整了整体比例才得以完成，不过感觉上在缩小的同时，个性都还是保留了下来吧（笑）。如果还有机会的话，我是非常想给大家再进行详细的介绍的。

# COLUMN
# 热血正剧人物的 Q 版人物化

这些就是上述的机器人动画里面出现的"浓重"的角色们（笑）。就让我们实际运用这些，创造一下 Q 版人物吧。

遇到这种个性浓厚的角色，因为特征非常明显的关系，如果过分强调反而会让人物感觉上模糊，或是比例变得比较奇怪。那么实际上我们应该注意什么样的地方呢？从某种角度上来说，这种角色因为有某种"外在特色"的关系，大多在第一眼看到的时候就能给人强烈的印象。而要捕捉特征的时候，就要尽量抑制这个外在特色，而去夸张自己所感觉到的印象。因此循序渐进地去进行变形处理应该才是最好的。

这次刊登的就是我用循序渐进的方法画出的变形人物的草图。请大家自己从中实际感觉一下吧。

在画女性人物的时候，如同以前所说明过的那样，将人物尽可能简略化，并且在用到整体镜头的时候将脑袋夸大，就可以表现出"可爱"的感觉。当然了，在和其他人物并列的时候，就有必要随机应变地去配合其他人物的变形程度了。

完成

〈草图画 & 设定书〉

〈草图画 & 设定书〉

完成

完成

设定书

# COLUMN

# Q 版人物手的变形

⦿ ⦿ ⦿

在人类的身体中有一个拥有非常复杂构造的部分，那就是"手"。手上存在着众多的关节，可以进行复杂的动作，所以难以夸张和省略的部分应该也比较多。不过关于手的画法呢，我有一个有趣的建议哦。也就是说，"其实骗骗人也没有什么关系吧？"。请各位也可以好好想一想，在你们所看过的漫画里面，手都是正确无误地弯曲，正确无误地活动吗？应该也有不少在实际中很勉强，很奇怪的动作吧？只不过因为有"感觉上很像"这个大前提存在，大家才可以看得下去吧？

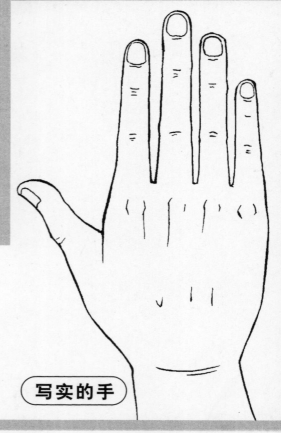

写实的手

划拳的手

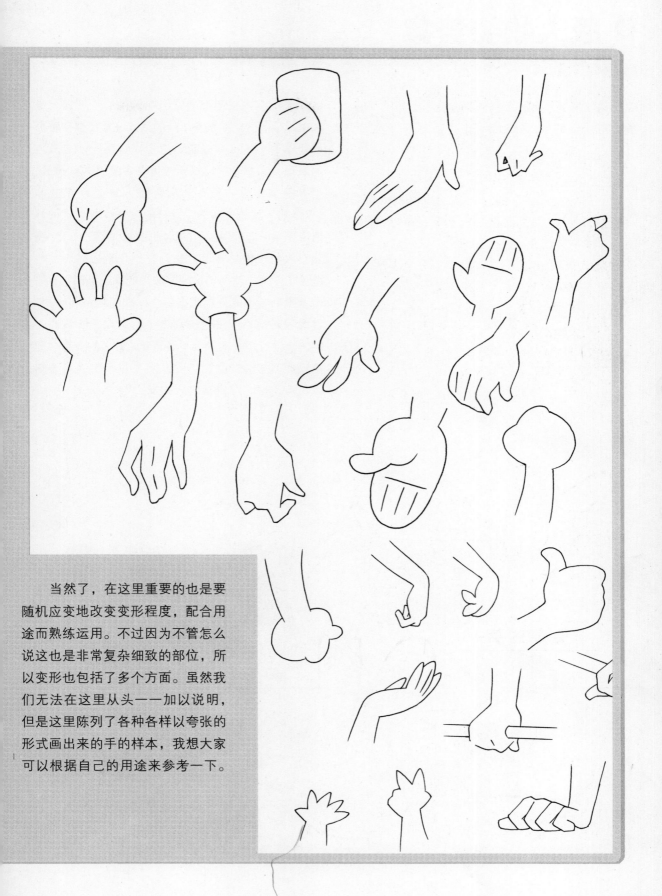

当然了，在这里重要的也是要随机应变地改变变形程度，配合用途而熟练运用。不过因为不管怎么说这也是非常复杂细致的部位，所以变形也包括了多个方面。虽然我们无法在这里从头一一加以说明，但是这里陈列了各种各样以夸张的形式画出来的手的样本，我想大家可以根据自己的用途来参考一下。

# Q 版人物姿势集

这里陈列了各种各样的职业装和服装的变形。请各位加以参考吧。

人们常说在最近的漫画中人物的个性描画是越来越少了。如果是在以前的话，经常会存在着那种让读者一眼就可以看出这个人物属于什么角色的表现。在如今已经快要成为老古董的"孩子王"也算是其中之一吧？还有就是一定会存在的像《机器猫》里的"康夫"那样的有钱少爷。这种可以说是藤子老师漫画中的标准招牌，能够100%展现出人物个性的表现方法，在如今也被很切实地继承了下来。使用了这种方法，就算是第一次看这个漫画的人也能立刻掌握每个人物的地位和作用。我想我在前面应该也说明过了。这才是所谓的人物的个性。那些根本看不出是要做什么的人物，究竟还能有多久的生命力呢？现在这个时候才更应该创造一些个性丰富的人物吧！？

就算同样都是画少年这个题材，也可以有"调皮（拿着剑的那个）"、"精神十足，爱打架（浑身是伤的那个）"、"有点迷糊的少年"和"阴暗消沉的少年"等等区别。如果再仔细去想的话，也许还能想得到很多。就算只是换一种效果线，多一个部件，对人物就能有不小的影响。

医生里面也有"温和的医生"和"危险的医生"。这里所说的危险就是指那种可能和黑社会有关的家伙。要表现他们的话，只要把姿势画得难看，就会有了类似的味道。只不过这里希望大家不要弄错了地方就是，虽然说是把姿势画难看，但是驼背还算OK，把弯曲的部分画到了腰上可就不行了（因为那样就变成了老人。所以这里需要的是和老化人物时不同的改变姿势的方法）。

和少年一样，少许特征上的不同，就能在同一职业中表现出个性。比如说同样的警官和刑警里面就可以有"新人刑警（在敬礼的那个）"、"热血刑警（戴着墨镜的那个）"和"资深刑警（绅士风格的那个）"等等的表现。

不过警官这种职业呢，如果让人物像图中那样，在工作中和私生活中有很大反差的话，感觉上就会比较有趣。

就算是号称圣职的学校老师，加上一点变化后也可以分成"金八型老师"、"超级老古板型老师"和"把学生都当成敲诈对象的无赖型老师"等等类型。

## 〈从游戏人物来看变形的手法〉

　　这里所画的是我大约在十年前所设计的模拟游戏中的人物们。毕竟是很久之前的东西了，那时的变形技术感觉上也还不十分的成熟，不过如果能多少帮助到大家的话就再好不过了。

　　在SLG的场合，因为只是在格子中出现的情况比较多，所以这些人物和我后面要介绍的《多卡彭外传》里面的人物设计不一样，没有必要拥有很多的动作。所以在这里设计的时候重视的也是静止画面中的感觉。因此确实有一些人物给人的感觉就是，"这家伙根本无法活动吧？"。

这个也一样是以前创作的人物，所以和现在的笔法有一定的差距。不过当时我从人物的作用出发，很努力地描绘他们的个性。所以希望多少能成为大家的参考。

抱歉打乱了顺序，这也是用最近的变形手法所画的，所以我想大家应该也看得出来，和前3页的变形程度以及手法都不太一样了。

因为怪物也是一种个性浓厚的人物（笑），所以只要采取和人类同样的处理就OK了。只不过是要强调恐怖感，还是要表现可爱就要视处理的手法而定了。

科学怪人以及半鱼人、狼人等等都是从人类的视角来画的，如果要表现的更过火一点的话，我想把头画大一些更能展现出紧迫感和恐怖感。相反的，如果把头部缩小的话，虽然在实际画面中这是属于俯视的状态，可以带来精神上的恐怖，可是因为Q版人物的个性都集中到了脸孔上，因此反而有可能造成反效果。这一点请多加注意。

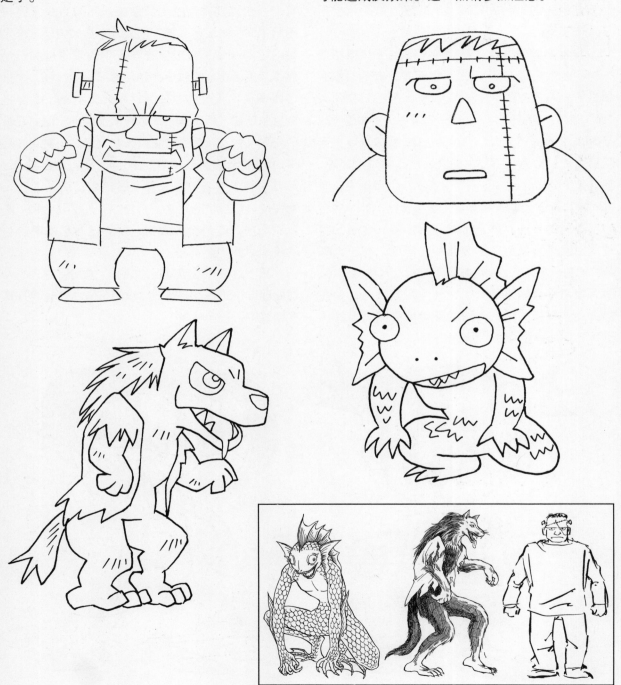

# Q版人物画廊

〈面向儿童的电视用Q版人物设计〉

这里我所画的是以前为了电视台的儿童节目而策划的一些人物。只不过当时没有被采用就是了（苦笑）。

我也不知道这些作品是不是可以一律概括成一句"儿童用"。对于变形程度而言，有的时候必须进行一种不可思议的表现，那就是把人物作为"面"表示，但是同时又必须让它具有"立体视觉"。简单来说明的话就是，让人物以二维感觉存在于平面之上，颜色也不要采用会出现立体感的表现，而只是区分出块状就可以了。在美少女漫画中，有的作家喜欢运用晕开和渐变（着色技法）等手法在明明单薄的平面人物身上增添奇妙的立体感。可是这时候就涉及到了阅读年龄的问题，对于天真纯粹的孩子而言，这种表现看起来就很"虚假"。平面人物用平面来表示可以说是理所当然的，勉强加上立体视觉的话，对于很直率地看待画面的孩子而言反而只会增加"厌恶感"。

事实上我想，看到这样的美少女漫画，应该也有一些大人同样会感到厌恶吧。所以首先是要把画用"面"来表示，接下来就是考虑如何让这个人物能够和孩子们游戏，在孩子们的梦想世界里全显得活灵活现。不过要是和前面所说的那样，太过于强调变化头身的方法的话，天真的孩子们还是会感到别扭，所以这一点也要多加注意。面向儿童的变形人物，和普通的变形人物比起来，需要的是平时几乎无法想象的非常复杂而且微妙的比例。而且这种人物还不要画得太过细致，而是要让人物即使只是粗粗的几笔，也能够让人识别出来。所以说面向儿童的变形人物，就算是号称本书内容的终极目标也不为过。

只不过要在这里讲述的话，目前所讨论过的人物处理方法还不够充足，所以接下来的部分我打算在续篇中再逐步讲解。

# 〈游戏用 Q 版人物设计 1〉

这里所刊登的是我以前所设计的《多卡彭外传》的未公开人物设定书。

这些人物和前面所刊登的 SLG 的人物不一样，因为在游戏中需要相当程度的动作，所以在变形时的最大前提就是让人物能够活动。因此变形程度的比例以及关节等部位的处理就是必不可少的了。

为了让人物能够充分活动，一定要好好考虑变形的比例哦！

## 〈游戏用 Q 版人物设计 2〉

这里所画的是98页中说明过的游戏人物的一部分。虽然进行了用于明确化各自职业等等的变形，但是由于是 SLG 的关系，所以它的特征就是没有进行可以活动的处理。

这里所描绘的人物包括了各种各样的职业和个性，强烈地表现出了"特征"。但是相反的，111页下面所画的两个主人公，与其说是强烈表现出了个性，还不如说是没有什么特征，没能成功表现出个性。那是因为频繁登场的"主人公"如果特征太强烈的话，玩家习惯了他们后，就会使其他特征强烈的人物们反而显得模糊了起来。

如果用比喻的方法来说，主人公就是"米饭"。其它的各色各样的小菜就是"敌对人物"。敌对人物（小菜）每天都有变化才比较有趣，可是主人公（米饭）要是每天都是炒饭或是鸡肉饭的话，很快也会觉得厌烦吧？因为有这样的原因，所以111页下面的主人公的个性和特征相对来说就收敛了不少。

# 第 4 章
# Q版人物的演绎

# 写实人物和 Q 版人物比较

●●●

　　顺带说一下，以前出版我自己的短篇作品集的时候，我曾经想过如果把自己的漫画进行变形，不知道会怎么样，于是就尝试了一下。而那次的结果就是下面的作品。

　　说来也奇怪，虽然我自己也完全能够画普通的漫画(笑)，可是因为无论如何都摆脱不了搞笑作家的形象，所以就想人家反正都是这么看我了，就干脆把自己的漫画也进行演绎好了（笑）。我的短篇集里面收录了四个普通的漫画，而卷末干脆就把这四个漫画合在一起进行了演绎，可以说是自己拿自己的漫画恶搞了一把吧（笑）。如果大家比较之后能够从中得到乐趣就再好不过了。

我想大家也看得出背景也经过了变形。

嗨，刑警先生。

大夫，她的情况怎么样了？

非常顺利。她很平静地接受了治疗，应该用不了多久就可以出院了。

只不过，消除了杀人的记忆的话，她对于母亲的记忆也会随之消失，这些还是很困难啊。

呐，姐姐！后来那个孩子怎么样了！？

分离吗？

因为写实的漫画是试图用线和面进行表现的实验性作品，所以演绎作品反而更有立体感也不一定（苦笑）。

感人的结尾也被进行了演绎……

# 拼图脸实战

　　现在大家应该已经明白对于 Q 版人物而言，脸孔的比例有多么重要了吧？那么，马上就用本书特别奉送的脸孔比例"拼图脸"来锻炼一下比例感觉吧！

　　如果加入自己制造的眼睛、嘴巴等等部分会更加有趣哦！将各种各样的部分组合到一起，组装出属于自己的脸孔比例吧！

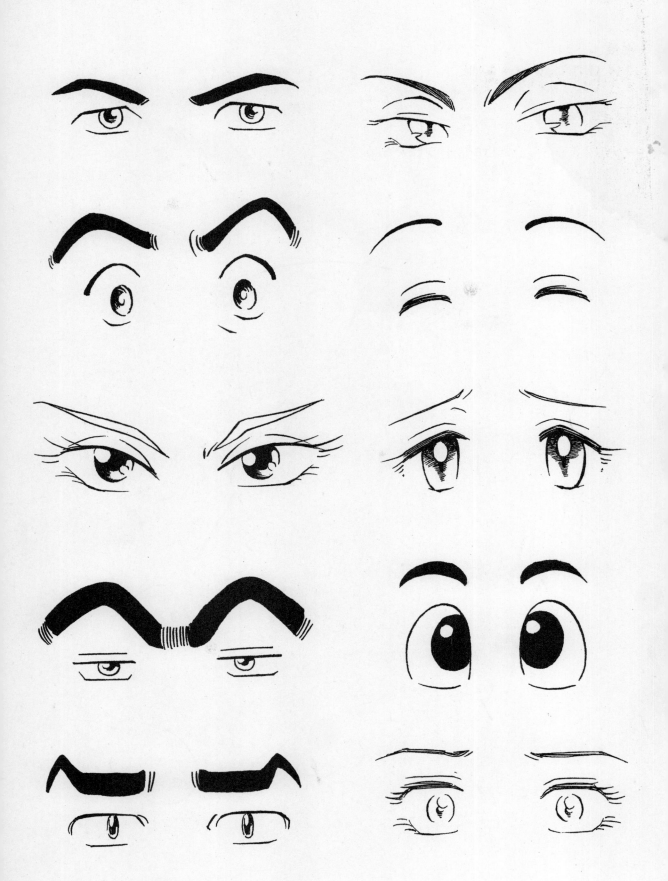

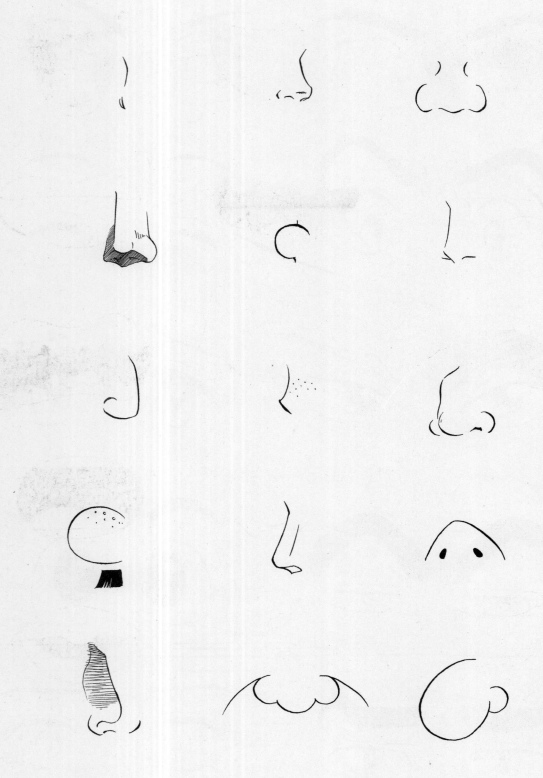

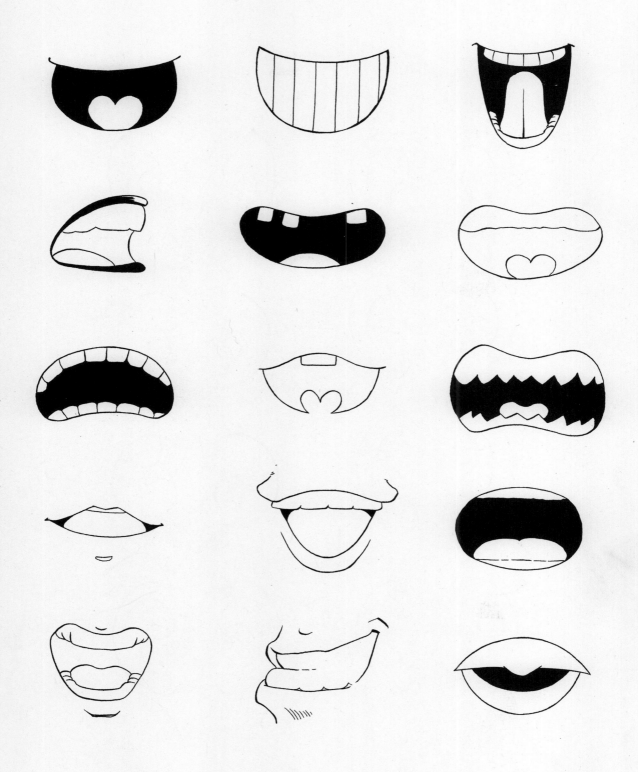

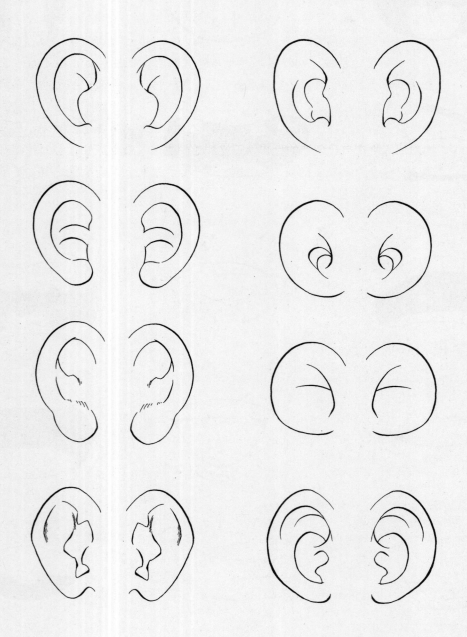

# 后 记

　　各位读者感觉如何呢？如果大家多少能了解到 Q 版人物的趣味的话，我这个作者就再高兴不过了。只不过这次我所画的手法只能保证让大家对于 Q 版人物的一部分有所理解而已。想要理解 Q 版人物，就必须从细致理解实际人物和写实画开始。写实画风和原本的画风以及照片相比，用不着改变太多，所以画起来相对轻松。但是在 Q 版人物中就有各种各样的限制，必须一一加以解决才行。因此比起写实画来，画 Q 版人物往往要多花上好几倍的时间。我一直相信创造 Q 版人物的时候不能只是简单地描绘以及省略，而是要抱着让人物在自己创造的世界活下来的感情去画，Q 版人物才会对作者做出回应，这个人物才会拥有长久的生命力。请大家也要自己创造出更加更加有趣的 Q 版人物哦。

## 作者介绍　佐藤元

加入 SUNRISE 后，师从安彦良和门下，后来进入了安彦良和的工作室。
通过高达的衍生漫画《爆笑战士 SD 高达（讲谈社）》而作为漫画家出道。
现在在作为动画工作人员和漫画家而活动的同时，也担任了若干个专业学校的讲师，进行着指导后辈的工作。

### ●参加的动画

时髦魔女 DOREMI!　　明天的娜莎　　一发贯太君
新鲁邦三世　　明星歌手　　卡查人 2
粉红女郎物语　　明日的乔 2　　宇宙战舰大和 2
森太人　银河铁道 999　宇宙战士巴鲁迪沃斯
战国魔人刚将军　　达沃加　高达 2
高达 3　伯特姆斯　　库拉夏皎
巨神国古　卑鄙搭档　　双鹰　SD 高达 1~6
我的町子老师　漫画第一物语
等等

### ● 单行本漫画

晚安！我的超人男孩 "德间书店"
偶像侦探小广 "德间书店"
家用机必笑登场　　　全 3 卷 "讲谈社"
大家好！我是彭巴人！！全 4 卷 "讲谈社"
鬓发一级棒　　全 2 卷 "角川书店"
家用机侦探团　全 2 卷 "秋田书店"
等等

### ●其它

日笔的美子 / 第三代（广告漫画）
电影　时和山庄的青春：漫画作画监制
日本电视台　　FAN：负责节目中的插画效果
等等

（京）新登字 083 号

チビキャラの描き方　人物編
HOW TO DRAW MANGA: SUPER-DEFORMED CHARACTERS VOL. 1 HUMANS
By GENSATO

© 2003 佐藤 元
© 2003 Graphic-sha Publishing Co., Ltd.

The original Japanese edition was first designed and published in 2002 by Graphic-sha Publishing Co.,Ltd.1-14-17 Kudankita,Chiyoda-ku,Tokyo,102-0073 Japan

Simplified Chinese edition © 2004 China Youth Press

This Simplified Chinese edition was published in China in 2004 by:
China Youth Press
Room 502,OSROC OFFICE BUILDING
No.94 Dongsi Shitiao,Eastern District,
Beijing 100007 China

Chinese translation rights arranged with Graphic-sha Publishing Co.,Ltd. through Japan UNI Agency, Inc., Tokyo
ISBN 7-5006-5671-8

First printing:Oct. 2004
Printed and bound in China

**图书在版编目（CIP）数据**

最新卡通漫画技法 / 日本 Graphic 社编；甘卉，丁莲，徐墨译。－北京：中国青年出版社，2004
ISBN 7-5006-5671-8
Ⅰ.最… Ⅱ.①日…②甘…③丁…④徐… Ⅲ.漫画－技法（美术） Ⅳ.J218.2
中国版本图书馆 CIP 数据核字（2004）第 089195 号


责任编辑：郭　光
　　　　　刘彤扬


书　　名：最新卡通漫画技法（共五分册）
　　　　　——Q 版人物篇
编　　著：（日）佐藤元
出版发行：中国青年出版社
　　　　　地址：北京市东四十二条21号　邮政编码 100708
　　　　　电话：（010）84015588　传真：（010）64053266
印　　刷：山东新华印刷厂德州厂
开　　本：787 × 1092　1/16
版　　次：2004 年 10 月北京第 1 版
印　　次：2004 年 10 月第 1 次印刷
书　　号：ISBN 7-5006-5671-8/J·618
总 定 价：130.00 元（共五分册）
本　　册：26.00 元